Ceffylau Dur

Hen Beiriannau Amaethyddol

Elfyn Scourfield

*Clawr: Arddangosfa peiriannau amaethyddol Amgueddfa Werin Cymru,
Sain Ffagan a llun o glawr catalog peiriannau Corbett-Williams,
Phoenix Iron Works, Rhuddlan.*

Llyfrau Llafar Gwlad

Golygydd Llyfrau Llafar Gwlad:
John Owen Huws

Argraffiad cyntaf: Tachwedd 1996
ⓗ Elfyn Scourfield

Rhif Llyfr Safonol Rhyngwladol:
0-86381-376-3

Lluniau: Amgueddfa Werin Cymru
Clawr: Smala

Argraffwyd a chyhoeddwyd gan Wasg Carreg Gwalch,
Iard yr Orsaf, Llanrwst, LL26 OEH
☎ (01492) 642031

Cynnwys

Rhagair

Seiliwyd y gwaith yn ddechreuol ar ymchwil a wnaethpwyd i gefndir casgliadau amaethyddol Amgueddfa Werin Cymru, ond buan y lledodd y diddordeb hwnnw i gynnwys gwybodaeth fanylach am hanes amrywiol wneuthurwyr peiriannau amaethyddol ledled y wlad.

O gasgliadau'r Amgueddfa Werin, oni nodir yn wahanol y daw'r ffotograffau a gyhoeddir yn y gyfrol a charwn gydnabod cymorth parod Mr Arwyn Lloyd Hughes a Miss Joy Bowen wrth eu paratoi. Yn yr un modd diolchaf am gymorth eraill yn ogystal sef Mr Trefor Jones, Dolfor ger y Drenewydd; Llyfrgell Clwyd; Ifor Williams Trailers Ltd; Canolfan Bywyd Gwledig, Prifysgol Reading; Mr Ken Jones, Tan-y-groes, Llandysul; Miss Meinir Williams am deipio'r llawysgrif a Mr Niclas Walker am ei gymorth parod fel Llyfrgellydd. Ac yn olaf, diolch i'r personau hynny ar hyd a lled Cymru a fu mor garedig â rhannu gwybodaeth pan fûm yn sgwrsio â hwy.

E.S.
Medi 1996

GENERAL VIEW

OF THE

AGRICULTURE

OF

NORTH WALES.

WITH

OBSERVATIONS ON THE MEANS OF ITS IMPROVEMENT,

BY GEORGE KAY.

DRAWN UP

FOR THE CONSIDERATION OF THE BOARD OF AGRICULTURE
AND INTERNAL IMPROVEMENT.

———

EDINBURGH:
PRINTED BY JOHN MOIR.
1794.

Wynebddalen adroddiad swyddogol George Kay, 1794.

Y Cefndir Hanesyddol

Tua diwedd y ddeunawfed ganrif gwnaeth y llywodraeth ymchwiliadau i sefyllfa amaethyddiaeth ym Mhrydain, ac o dan nawdd y Bwrdd Amaethyddol aethpwyd ati i groniclo'n weddol fanwl agweddau arbennig ar ddulliau a safon amaethyddiaeth y gwahanol siroedd yng Nghymru a Lloegr. Cyhoeddwyd y rhan fwyaf o'r adroddiadau am Gymru yn 1794 ac, yn y rhagymadroddion, nodir bod y Bwrdd Amaethyddol wedi mabwysiadu dulliau cyffelyb ym mhob sir, gyda'r prif fwriad o geisio sicrhau gwybodaeth fanylach am ddulliau trin y tir, ac i alluogi pobl i wella'r ffyrdd ym myd amaethyddiaeth yn gyffredinol. Sonnir ymhellach fod y Bwrdd Amaethyddol yn awyddus i gynnig ei gymorth a'i gyngor i ffermwyr a ddymunai wella bridiau anifeiliaid a defaid, ac yn enwedig i hybu unrhyw arbrofion addawol mewn hwsmonaeth. Trafodir safon amaethyddiaeth fesul sir neu grŵp o siroedd, ac i ddwylo George Kay y syrthiodd y gwaith o arolygu amaethyddiaeth siroedd y gogledd a'r canolbarth, gan gynnwys Fflint, Môn, Caernarfon, Trefaldwyn, Meirionnydd a Dinbych. Dilynir patrwm gweddol gyffredinol gan Kay wrth drafod dulliau amaethu'r siroedd: ffiniau a chloddiau, tiroedd comin, sychu a chwteru tir gwlyb, gwrtaith, cynnyrch y tir, yr amrywiol gnydau a dyfid, anifeiliaid a'r gwahaniaethau rhyngddynt a'r ardaloedd eraill, dulliau trin y tir ac ychwanegiadau byrion am arferion sirol cyflogi gweision yn ogystal â chyfeiriadau pellach at ganolfannau marchnata'r siroedd uchod. Mae'n debyg mai rhai o'r adroddiadau mwyaf diddorol yw eiddo Charles Hassall, a'i sylwadau ar amaethyddiaeth siroedd Caerfyrddin a Phenfro. Trafodir y pwyntiau cyffredinol a geir hefyd gan y lleill, ond rhoddir lle blaenllaw i offer fferm a rhai o'r diffygion a oedd, yn ei farn ef, yn llesteirio datblygiadau a thueddiadau modern amaethu. Y mae'r adroddiad helaeth a geir ganddo ar Sir Benfro yn llawn o fanylion am y bridiau anifeiliaid — yn enwedig brid Castell Martin. Roedd gan Hassall, wrth gwrs, wybodaeth weddol drwyadl o gefndir amaethyddol y siroedd hyn o gofio ei fod wedi treulio cyfnod yn swyddog tir ar stadau Llanstinan a Slebech. Awgrymodd nifer o welliannau i offer ffermydd y rhanbarth, gan roi sylw arbennig i erydr. Fel dyn dŵad i Sir Benfro, mynegodd ei ofid ynglŷn â derbyniad cyffredinol unrhyw argymhellion o ddwylo'r Bwrdd Amaethyddol. Yn ei farn ef, yr oedd sicrhau gwasanaeth brodor o'r sir yn hollol bwysig, gan fod pobl Sir Benfro, meddai, yn casáu awgrymiadau o enau gwŷr estron.

Y mae'r sylwadau a geir gan Thomas Lloyd a D Turnor ar amaethyddiaeth yng Ngheredigion ac adroddiadau John Clark ar siroedd Maesyfed a Brycheiniog yn dilyn patrymau cyffelyb yn ogystal, ac ymysg llawer o osodiadau ffeithiol ynglŷn ag amaethyddiaeth, ceir nifer o haeriadau nad ydynt mor ffeithiol. Er enghraifft, cyfeiria John Clark at grefft arddwyr Brycheiniog, a dywed: *'Every ploughman here is perfectly master of a straight line; for every ridge runs mathematically true.'*

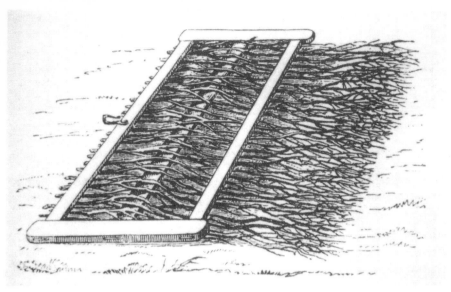

Math ar ddraenglwyd gyntefig at lyfnu'r tir.

Cyhoeddodd John Fox ei adroddiad ar Sir Fynwy yn 1794. Ddwy flynedd yn ddiweddarach ymddangosodd ei adroddiad ar Sir Forgannwg. Ymysg trafodaethau gweddol fanwl ar gnydau, rhoddir lle blaenllaw i fywyd cymdeithasol y ddwy sir gan sôn am weithgarwch y cymdeithasau amaethyddol a chyfeillgar.

Ymhelaethwyd cryn dipyn ar hanes a phwysigrwydd y cymdeithasau hyn gan Walter Davies (Gwallter Mechain) yn ei adroddiadau a gyhoeddwyd ar ddechrau'r ganrif ddilynol, sef *General View of Agricultural & Domestic Economy of North Wales* (1810) a'r ail gyfrol ar Dde Cymru yn 1814. Cofiwn am Gwallter Mechain fel offeiriad wrth ei alwedigaeth, ond yr oedd hefyd yn fardd a hynafiaethydd. Mae'n debyg mai'r olaf o'r diddordebau hyn a amlygir yn ei adroddiadau — dau gyhoeddiad arbennig a fu'n gerrig milltir pwysig yn yr ymgais i groniclo cyflwr amaethyddol Cymru ar ddechrau'r bedwaredd ganrif ar bymtheg. Ceir stôr o wybodaeth am Dde a Gogledd Cymru yn y cyfrolau ac fe ymdrinir â phob math ar agweddau. Yn naturiol, y mae llawer o'r wybodaeth yn grynhoad pellach gydag ychwanegiadau o adroddiadau blaenorol y Bwrdd Amaethyddiaeth, ac yn sicr pan gyhoeddwyd y gwaith uchod gan y Bwrdd, dibynnwyd ar dystiolaeth ac awgrymiadau ychwanegol a ddaeth i law ar ôl cyhoeddi adroddiadau 1794. Rhennir gwaith Gwallter Mechain yn is-adrannau, sy'n trafod ansawdd tir, tir-ddaliadau, ystadau, adeiladau amaethyddol, offer a pheiriannau fferm, dulliau trin y tir, plannu, gwrteithio ac anifeiliaid fferm, gydag atodiadau hynod bwysig ar fywyd masnachol y wlad, yn ogystal â thrafodaeth fanwl ar gymdeithasau amaethyddol. Canfyddir bod yna welliant aruthrol yn yr awydd i ddatblygu safon amaethyddiaeth yn y wlad oddi ar y ganrif flaenorol, ond wrth gwrs, roedd hyn yn cydredeg â'r deffroad cyffredinol a fu yn Lloegr ers dechrau'r ddeunawfed ganrif, yn sgîl arloeswyr amaethyddol megis Jethro Tull ac Arthur Young. Fel pob arloeswr arall, ni chafodd Tull ei werthfawrogi'n llawn yn ystod ei oes ac nid yw'n syndod na weithredwyd llawer o'i argymhellion am flynyddoedd wedi'i farw yn 1740. Tua deng mlynedd ar hugain yn ddiweddarach daeth Arthur Young (1741-1820) i fri fel un o genhadon pwysicaf dulliau amaethu cymysg. Methiant hollol fu llawer o'i waith ymarferol ar ei ffermydd ei hun, ac mae'n debyg iddo ef ac eraill gael eu synnu pan y'i penodwyd yn Ysgrifennydd y Bwrdd Amaethyddol a ffurfiwyd yn 1793.

Yng ngoleuni'r brwdfrydedd newydd hwn yn hanes a datblygiad amaethyddiaeth Prydain mae'n bwysig cofio am ffurfiant llawer o'r cymdeithasau amaethyddol y cyfeiria Gwallter Mechain atynt yn ei waith. Un o'r cynharaf a'r pwysicaf oedd Cymdeithas Amaethyddol Sir Frycheiniog a sefydlwyd yn 1755. Yn 1772 ffurfiwyd cymdeithas ym Morgannwg ar linellau cyfredol i gymdeithas Brycheiniog ac fe roddwyd pwyslais ar gyflwyno gwobrau arbennig am dyfu cnydau, am wartheg a cheffylau ac am ddyfeisio ac arbrofi â pheiriannau amaethyddol. Ceir enghreifftiau pellach o'r brwdfrydedd yn ymestyn i siroedd eraill Cymru. Sefydlwyd cymdeithas yng Ngheredigion yn 1784, Caerfyrddin yn 1795, Wrecsam yn 1796, Meirionnydd yn 1801, Môn yn 1808, ac un arall yn nhref Aberteifi yn 1815. Gwelir ymdrechion pendant gan rai o'r cymdeithasau hyn i hybu dulliau newydd o drin y tir ac i arbrofi gyda mathau gwahanol o offer a pheiriannau. Adlewyrchir hyn yng ngweithgarwch cymdeithas Sir Frycheiniog, oherwydd yn 1765 rhoddwyd cyfle i aelodau sicrhau mathau newydd o erydr, a'r flwyddyn ddilynol rhoddwyd caniatâd i aelod o'r gymdeithas bwrcasu aradr o swydd Sussex a phrynu *Drill Plough* o Gaer Efrog. Ddeng mlynedd yn ddiweddarach archebwyd aradr newydd o Swydd Efrog, a honno o deip aradr *Rotherham*, ond yr hyn sy'n fwy diddorol yw bod aelod o'r gymdeithas wedi addo prynu'r aradr am ddwy gini ar yr amod y byddai'r gymdeithas yn ei sicrhau y câi hyfforddwr arbennig o Gas-gwent i arddangos y grefft a'r dull o aredig iddo, a hynny ar draul y gymdeithas. Lledodd y math hwn o frwdfrydedd i siroedd eraill Cymru ac yn ystod y bedwaredd ganrif ar bymtheg tyfodd yr elfennau cystadleuol wrth i'r ymgais i fasnachu peiriannau amaethyddol o bob math gynyddu. Manteisiwyd ar weithgareddau cymdeithasau lleol a'r cyfarfodydd a chlybiau aredig er mwyn arbrofi gyda mathau newydd o erydr ac i gyflwyno offer i amaethwyr Cymru. Er enghraifft, y mae'n ddiddorol sylwi ar weithgarwch Cymdeithas Dosbarth Llanymddyfri, Sir Gaerfyrddin sy'n adlewyrchu cefnogaeth y cymdeithasau i ddyfeisiadau modern y cyfnod. Yr oedd y gymdeithas yn Llanymddyfri yn un o nifer lluosog o gymdeithasau aredig a ffurfiwyd ar ddechrau'r ganrif ddiwethaf, ac mewn cyfarfod a gynhaliwyd ar 3 Mawrth 1841, dywedwyd:

tra oedd yr arddwyr yn aredig, cafwyd cyfleustra i brofi dau offeryn rhagorol a ddygwyd yno... sef y *Chalbury Plough* a *Biddell's Scarifier*, ond ymddengys ei fod yn dra addas i dir sych ysgafn; oblegid y mae nid yn unig yn glanhau y tir oddi wrth gydynnau porfa a gwreiddiach, ond hefyd yn gwneuthur gwaith naw aradr ar unwaith; a gellir ei lusgo yn hawdd gan dri neu bedwar ceffyl. *Chalbury Subsoil Plough* sydd offeryn godidog, addas i bob tir dwfn cryf a gwlyb.

Yn ystod hanner cyntaf y bedwaredd ganrif ar bymtheg gwelwyd cynnydd yng ngweithgarwch nifer o grefftwyr lleol yn eu hymdrechion i addasu a gwella offer amaethu. Roedd datblygiad yr aradr yn enghraifft arbennig o'r math o ddiddordeb a rannai nifer o ofaint a seiri gwledig yng Nghymru. Un o'r rhai cynharaf i arbrofi gyda gwelliannau i'r aradr yn Ne Cymru oedd Thomas Morris, Login ger Llanboidy yn Sir Gaerfyrddin. Yng Ngogledd Cymru cafwyd gweithgarwch cyffelyb gan D Roberts, Corwen pan addaswyd yr hen fathau o erydr pren drwy roi fframiau haearn ac ychwanegiadau eraill o haearn bwrw arnynt. Tua chanol y ganrif gwnaethpwyd newidiadau pellach i gynlluniau erydr gan grefftwyr tebyg i Roberts Lloyd o Landrillo, ac yn ddiweddarach parhawyd i arbrofi â'r gwelliannau gan William Roberts a Zechariah Jones, Cynwyd; John Price Pont-y-gath, ger Maenan a John Owen, Biwmares, Ynys Môn. Gwelwyd gweithgarwch cyffelyb yng Nghanolbarth Cymru ac un o'r crefftwyr mwyaf blaenllaw rhwng 1840 ac 1850 oedd Robert Phillips, Pen-pont, Sir Frycheiniog. Yn ddiweddarach addaswyd nifer o erydr *Ransomes* gan David Jones, Tal-y-bont, Brycheiniog, ac yn siroedd y De daeth crefftwyr megis J E Evans, Ponseli; D Evans, Dyffryn; D Lewis, Penllwynraca; W L Evans, Llanfihangel-y-Creuddyn a D Jones, gof y *Lion*, Beulah yn adnabyddus fel prif wneuthurwyr erydr lleol yn ystod hanner olaf y bedwaredd ganrif ar bymtheg.

Ar wahân i'r crefftwyr a'r gofaint unigol a oedd yn gefn i amaethwyr Cymru roedd carfan arall o wneuthurwyr a hybodd lawer o newidiadau technolegol yng nghefn gwlad Cymru. Cyfeirir yn bennaf at gyfraniad ffowndrïau a leolid yn nhrefi masnachol Cymru yn ystod y bedwaredd ganrif ar bymtheg.Roedd nifer o'r ffowndrïau hyn yn gyfrwng i wasanaethu'r gofaint gwlad a ddibynnai arnynt am wahanol ddarnau o haearn bwrw ar gyfer erydr ac offer eraill, ond yn ogystal â chyflenwi'r anghenion hynny bu perchnogion llawer o'r ffowndrïau yn flaenllaw yng ngwaith dyfeisio ac addasu nifer o beiriannau o bob math ar gyfer trin y tir, cynaeafu a pharatoi bwydydd i anifeiliaid. Ar y naill law ceid ffowndrïau bychain a wasanaethai anghenion lleol tra ar y llall datblygodd rhai ohonynt yn gwmnïau a arbenigai mewn cynhyrchu peiriannau amaethyddol a'u masnachu drwy Gymru, Lloegr ac i wledydd tramor. Y mae papurau lleol tua diwedd y bedwaredd ganrif ar bymtheg a dechrau'r ganrif hon yn frith o hysbysebion cwmnïau masnachol a oedd yn awyddus i gyflwyno dulliau newydd o amaethu i ffermwyr cefn gwlad Cymru. Mae hyn ynddo'i hun yn faes

Teulu David Jones, gof y Lion, *Beulah, Betws Ifan, Ceredigion.*

astudiaeth arbennig ar ddatblygiad dulliau newydd neu'r mecaneiddio a fu yn hanes ffermio yng Nghymru. Gwelir bod masnachwyr Lloegr yn manteisio ar boblogrwydd y papurau lleol, ac yn apwyntio cynrychiolwyr lleol i ddosbarthu gwybodaeth. Ceir tystiolaeth am gwmnïau megis Lister, Fullwood & Bland ac eraill a arbenigai mewn cynhyrchu peiriannau godro a chelfi'r llaethdy yn mynd ati i arddangos y peiriannau newydd hyn ar ffermydd arbennig.

Mae'n amlwg felly fod yna drawsnewid aruthrol wedi digwydd yn hanes a datblygiad amaethyddiaeth yng Nghymru erbyn y Rhyfel Byd Cyntaf. Gellir cymharu'r newid hwn â gofid ffermwyr Cymru yn saithdegau'r bedwaredd ganrif ar bymtheg wrth ymholi am y dreth ar geffylau a cherbydau amaethyddol. Gellir deall yn haws beth oedd syniadau ffermwyr y cyfnod hwnnw o ddyfynnu rhan o lythyr arbennig a ymddangosodd yn *Yr Haul* yn 1871:

> Ffermwr fel fi, yn defnyddio ceffyl a cherbyd at gludo ymenyn, wyau a chywion i'r farchnad i'w gwerthu bob yn un, ac yn eu defnyddio yn achlysurol i fynd i'r ffeiriau, yn cario dim ond myfi fy hunan, neu ryw un o'r teulu.

Hanner can mlynedd yn ddiweddarach gwelir bod holl drefn a thraddodiad ffermwyr Cymru ar drothwy'r trawsnewid mawr. Mewn llawer ardal, i'r gorffennol y perthynai'r arfer o ddyled gymdeithasol, y cymorth

11

Hysbyseb Cymraeg cwmni Ransomes.
(Casgliad Canolfan Bywyd Gwledig, Prifysgol Reading.)

Hau â llaw yn ardal Llanymawddwy, Meirionnydd, yn 1937.

troi, cymorth teilo, dyled tatws a chymorth y cynhaeaf a'r dyrnu. Mewn ardaloedd eraill parhaodd y defodau hyn am gyfnod llawer hwy. Troes arferion a bywyd bob dydd ffermwyr y cyfnod hwn yn faes ymchwil i haneswyr cymdeithasol. I raddau helaeth gellir priodoli'r trawsnewid a ddigwyddodd ar ddechrau'r ugeinfed ganrif i weithgarwch y Weinyddiaeth Amaeth pan roddwyd pwyslais ar addysgu ffermwyr yn gyffredinol yn y dulliau gorau o ddatblygu patrymau a safon ffermio. Penodwyd nifer o swyddogion ymgynghorol yng ngwahanol siroedd Cymru yn 1914 a threfnwyd cyrsiau a darlithoedd arbennig i ffermwyr a'u meibion a'u merched. Bu'r Rhyfel Byd Cyntaf yn rhwystr i ffyniant llawer o ddosbarthiadau a chyrsiau, ond ymddengys y bu yna ailafael a deffroad tua 1925. Aethpwyd ymlaen â gwaith hyfforddi'r gymdeithas amaethyddol a'i haddysgu yn y ffyrdd newydd o wrteithio, o dyfu cnydau a hadau, cadw anifeiliaid, ac i arddangos peiriannau mwy modern i drin a thrafod amrywiol orchwylion ar y fferm. I raddau, gellir awgrymu mai ar ddechrau'r ugeinfed ganrif y daeth llawer o argymhellion ysgrifenwyr adroddiadau amaethyddol y ddeunawfed ganrif i rym yn yr ymgais newydd i hyfforddi ac i addysgu ffermwyr.

Ond nid newid a ddigwyddodd dros nos oedd hwn. Law yn llaw â'r ymgais i addysgu ffermwyr bu ymdrechion hefyd i gyflyru eu meddyliau i dderbyn dulliau newydd a oedd wedi'u selio ar gyfryngau newydd. Hynny yw, bu

Diwrnod dyrnu traddodiadol yn Hafod Ifan ger Betws-y-coed.

Lladd gwair ar fferm ym Maesyfed yn 1935.

ffrwd gyson, er ei bod o bosibl yn araf mewn rhai ardaloedd, o beiriannau mwy mecanyddol i drin y tir, peiriannau cynaeafu ac amrywiaeth o offer ysgubor i hwyluso'r gweithgarwch gaeafol. Ceir cyfeiriadau hynod ddiddorol at y newid technegol ar ffermydd Cymru, a mwy diddorol fyth o bosibl yw hanes lledaeniad y newid, sef bod un ardal neu dalaith yn derbyn y newid ac ardal arall yn dal i gefnogi a chadw'r hen ddulliau amaethu. Rhydd David Jenkins yn ei astudiaeth o gymdeithas amaethyddol cylch Troed-yr-aur, Ceredigion, ddarlun cyfoethog inni o natur y datblygiad a'r newid a fu mewn ardal arbennig. Ceir trafodaeth fanwl ganddo ar ddulliau cymdogol o gynorthwyo adeg y cynhaeaf a'r berthynas glòs rhwng ffermwr, ei gymydog a phobl y pentref neu 'bobl y tai bach'.

Agwedd bellach ac un ddiddorol tu hwnt yw'r gwahaniaeth a geir oddi mewn i un sir — rhwng gogledd a de Ceredigion, dyweder. Mynegir hyn yn groyw gan R L Jones yn ei erthygl 'Changes in the Pattern of Cardiganshire Farming 1908-1958', lle trafodir y gwahaniaethau rhwng stadau'r sir, y mathau o adeiladau ar y ffermydd, y dull o ffermio a'r mecaneiddio a fu yn ne a gogledd y sir. Awgryma nifer o resymau pam y bu godre Ceredigion ar y blaen i ogledd y sir ym mlynyddoedd cynnar y ganrif hon yn yr ymateb i dderbyn y peiriannau diweddaraf. Yn eu plith nodir pwysigrwydd nifer o ffowndrïau yng ngwaelod y sir yn enwedig yn nhref Aberteifi ei hun, a chyfeiria at y ffaith fod y tractor cyntaf wedi cyrraedd gwaelod y sir yn 1916. Ymddengys mai tipyn arafach fu'r datblygiad yng ngogledd y sir, oherwydd lle byddid yn hau llafur neu ŷd gyda dril yn ne Ceredigion, parheid i hau â llaw yn y gogledd. Cefndir tebyg sydd i hanes ymdrechion moderneiddio dulliau amaethu yng Ngogledd Cymru. Roedd y ffermydd mwyaf yn medru derbyn y patrwm newydd, ond araf fu'r mecaneiddio ar y ffermydd bychain oherwydd diffyg cyfalaf a phrinder elw i fedru prynu peiriannau newydd, ac yn naturiol, byr a thymhorol iawn yw defnydd y rhain ar fferm fechan.

O fewn canrif a hanner felly fe gafwyd trawsnewid dirfawr o fyd yr ychen a'r ceffyl i ddulliau hollol fecanyddol, er bod yna eto rai enghreifftiau lle gwelir tyddynnwr yn parhau â'r dulliau traddodiadol. Ond y mae'r bwlch eang a fu unwaith rhwng cyfnod y dyfeisio a'r gwerthu a chyfnod defnyddio ymarferol ar fferm wedi diflannu. O gofio am ddyfodiad llawer o beiriannau medi i ffermydd Cymru ar droad y ganrif y mae'n werth nodi pa bryd y gwnaed llawer ohonynt gan y cwmnïau masnachol. Er enghraifft, prin oedd y clymwr ŷd ar ffermydd Cymru cyn y Rhyfel Byd Cyntaf, er bod Cyrus McCormick ac eraill, megis William Deering, wedi llwyddo i berffeithio peiriannau o'r un math yn yr Amerig tua 1880-1890, a chwmni fel Harrison McGregor yn Lloegr yn gwerthu eu peiriant rhwymo Albion yn 1894. Mewnforiwyd nifer o amrywiol beiriannau i Brydain a bu rhai cwmnïau tebyg yn y wlad hon yn dygnu i geisio gwerthu nwyddau tebyg. Defnyddiwyd math cynnar ar combine harvester yn yr Amerig yn nawdegau'r bedwaredd ganrif ar bymtheg ond ni ddaeth i Brydain hyd 1926. Roedd llai na hanner cant ohonynt yn gweithio ym Mhrydain yn 1935, ond erbyn 1965 roedd dros 63,000 i'w gweld ar wahanol ffermydd yng Nghymru a Lloegr.

W. MELLARD,

FURNISHING, GENERAL IRONMONGER,
◁ ᴬᴺᴰ IMPLEMENT DEALER. ▷

9, CROWN SQUARE, DENBIGH.

→>◄◄◄

SYR,

Y mae yn bleser genyf gymmeryd y cyfleusdra i anfon i chwi Restr o a Thystebau i ragoroldeb OFFERYNAU AMERICANAIDD y PLANO at dori a chynhauafu ŷd a gwair, dros rhai yr wyf wedi fy mhennodi yr unig oruchwyliwr yn Ninbych a'r cylch.

Y mae y gofyn anghyffredin sydd am yr OFFERYNAU AMERICANAIDD hyn, a'r boddhâd digymmysg y maent hyd yn hyn wedi ei roddi i bawb a'u prynasant, wedi fy nghalonogi i brynu nifer fawr o honynt ar gyfer y tymmor a'r cynhauaf dyfodol. Y mae yn mysg yr ystoc a nodwyd BEIRIANNAU I DORI YD A GWAIR, CRIBINIAU CEFFYL, CHWALWYR GWAIR, ac hefyd offerynau at RWYMO YD (*BINDERS*).

Er fod pris y defnyddiau o ba rai y gwneir y peiriannau hyn wedi codi cryn lawer yn ddiweddar, etto i gyd yr wyf, trwy brynu ystoc mor fawr yn union oddi wrth y Gwneuthurwyr, yn abl i werthu y cyfryw YN IS NAG ERIOED.

Ni ddywedaf air yma am werth a defnyddioldeb yr OFFERYNAU AMERICANAIDD hyn; yn hytrach, erfyniaf arnoch ddarllen y tystiolaethau amgauedig a anfonwyd i mi, ac yna farnu drosoch eich hun.

Yn chwanegol at yr offerynau a ddangosid genyf y flwyddyn ddiweddaf y mae genyf y tymmor hwn ystoc fawr o CHWALWYR GWAIR AMERICANAIDD (*HAYMAKERS*), hefyd BEIRIANNAU TORI YD A GWAIR, cyfaddas i UN CEFFYL. Y mae y rhai olaf hyn wedi eu cyfaddasu yn arbenig ar gyfer FFERMWYR BYCHAIN. Dymunaf eich hysbysu hefyd fod genyf, fel arfer, ystoc dda o BEIRIANNAU TORI YD A GWAIR, a CHRIBINIAU, wedi eu gwneyd gan wneuthurwyr adnabyddus, megys y Mri. Bamford, Mri. Powell a Whitaker, &c. Hefyd, yr wyf wedi cael i mewn ystoc gyflawn o OFFERYNAU AT WAITH LLAW, megys PLADURIAU, CRYMANAU, PIGFFYRCH, LLUSG-GRIBINIAU, CRIBIN-IAU LLAW, &c., y rhai y gallaf eu gwerthu am bris hynod o isel.

Hyderaf y bydd i bob ffermwr sydd yn bwriadu prynu offerynau ar gyfer y cynhauaf ddyfodol i edrych dros fy ystoc, a chael rhestr o'm prisiau, cyn prynu mewn un man arall, am fy mod yn sicr y bydd iddo, nid yn unig allu prynu yn rhatach, ond caiff hefyd sicrwydd genyf y bydd i unrhyw Beiriant neu Offeryn a brynir o'm siop i gyflawni'r gwaith hyd ei foddlon-rwydd llwyraf.

Yr wyf yn eich gwahodd yn gynnes i edrych dros fy ystoc.
Gan ddiolch i chwi am eich ffafrau, a disgwyl am barhâd o'r cyfryw.
Ydwyf, yr eiddoch yn gywir,

W. MELLARD.

Hysbyseb W Mellard, Dinbych.

16

Digwyddodd y newid i fyd mecanyddol law yn llaw â chynnal dulliau traddodiadol. Ceir enghreifftiau o aredig ag ychen ym Mro Morgannwg mor ddiweddar ag 1880; yn y flwyddyn honno y defnyddiwyd ychen i aredig am y tro olaf ar fferm Doghill, Dyffryn Golych. Ceir tystiolaeth hefyd o ddefnyddio aradr bren yn Nhrefaldwyn ym mhedwardegau'r ganrif hon.

Y mae nifer o sylwadau digon teg wedi eu cynnig gan haneswyr cymdeithasol i geisio esbonio'r anghysondeb hwn yn hanes a datblygiad dulliau technolegol amaethu. Mae'n debyg fod yna sail i ddadlau bod maint ffermydd Cymru wedi bod yn faen tramgwydd i hybu datblygiad. Oherwydd eu bod yn rhy fychan o ran maint, ni ellid eu datblygu'n foddhaol, ac eto i gyd y mae llawer ohonynt yn rhy fawr i'w gweithio ar lefel dyddynol. Gellir holi hefyd p'run ai diffyg menter, diffyg cyfalaf, neu anwybodaeth oedd yn gyfrifol am y difaterwch hwn, neu bod y ffermwr o bosibl o dras amaethyddol a barchai draddodiad ac a ystyriai ei alwedigaeth yn grefft, a hynny yn llesteirio ei awydd i arbrofi. Tybed ai un o'r rhesymau pwysicaf wrth astudio'r newid technolegol yw'r elfen gymdeithasol, a bod diffyg llafur a sicrwydd am weithwyr amaethyddol wedi gorfodi rhai ffermwyr i newid eu dulliau gwaith. O bosibl, gellir awgrymu bod ffermwr gyda theulu mawr o feibion a merched gartref ar y fferm yn tueddu i lynu'n dynnach wrth draddodiad am nad oedd gorfodaeth arno i newid. Dro arall y mae'r

Hau â ffidl ar fferm Frampton Court,
Llanilltud Fawr, Bro Morgannwg, tua 1946-48.

17

gwrthwyneb yn wir. Awgryma Collins yn ei lyfryn *Sickle to Combine* mai un o'r elfennau a amlygwyd yn ei ymchwil oedd bod yna duedd i gynnal a chadw hen ddulliau amaethyddol pan oedd digon o gymorth cymdogol a gweithwyr cyflogedig ar gael. Ond gyda gweision cyflog yn prinhau mewn rhai ardaloedd, bu hynny, yn anad dim arall, yn sbardun i amaethwyr ddeffro ac ystyried y byddai'n rhaid iddynt wynebu ffeithiau ymarferol a phroblemau arbennig os oeddynt am sicrhau eu cynhaeaf yn ddiddos. O ganlyniad, anghofiwyd am y dadleuon a wyntyllwyd gan gymdogion fod peiriannau yn gyfrifol am ddifa'r had, neu yn amharu ar ffyniant a thyfiant cnydau.

Mynegir gofid am brinder llafur yn Adroddiad 1893, ac fe awgrymir bod nifer o ddynion ieuainc yn dueddol o symud i'r ardaloedd diwydiannol, ac ym Mro Morgannwg ei hun dibynnwyd i raddau helaeth ar weision cyflog o Loegr. Yn Ne-orllewin Cymru manteisiwyd ar lafur bechgyn ysgol o Loegr a ddaeth yn eu heidiau o wahanol sefydliadau — i ddysgu a gweithio ar ffermydd.

Felly, o geisio cwmpasu'r cynfas helaeth o'r amrywiol agweddau sydd ynghlwm wrth gefndir hanesyddol amaethyddiaeth yng Nghymru y mae'n amlwg fod yna elfennau diddorol yn perthyn i gasgliad o offer mewn amgueddfa. Nid yw disgrifiad moel o declyn amaethyddol mewn oriel yn ddigonol, oherwydd dylid cofio bod i'r holl daclau hynny gysylltiad hanesyddol o safbwynt datblygiad technolegol. Y maent hefyd yn rhan o ddatblygiad syniadaeth cymdeithas, ac y mae gwead hanes y gymdeithas honno yr un mor bwysig wrth esbonio'r trawsnewid yn hanes amaethyddiaeth Cymru.

De Cymru

Dichon mai ym Morgannwg yn y De y cafwyd yr enghreifftiau cynharaf o weithgarwch lleol gan grefftwyr a ffowndrïau yn yr ymdrechion i gynhyrchu peiriannau amaethyddol. Yr oedd yna resymau pendant am hyn oherwydd rhwng 1774 ac 1775 gwahoddodd Cymdeithas Amaethyddol Morgannwg gynhyrchwyr i ddangos offer a pheiriannau yn y cyfarfodydd agored, ac ymysg yr offer a arddangoswyd cafwyd amrywiaeth o beiriannau ysgubor, peiriannau trin a llyfnu yn ogystal ag aradr *Rotherham*. Ym Morgannwg yn ystod y flwyddyn ddilynol cyflwynodd aelod blaenllaw o'r gymdeithas, sef Jno. Popkin, Coytrahen, aradr gydag olwynion at wasanaeth y gymdeithas ac i'w harddangos i ffermwyr a thirfeddianwyr yn y gwahanol sioeau a'r cyfarfodydd. Ond cyfraniad pwysicaf y gymdeithas oedd cyflwyno gwobrau i grefftwyr lleol am ddyfeisio ac addasu peiriannau. Un o'r crefftwyr mwyaf blaenllaw a fu'n cystadlu yng nghyfarfodydd y gymdeithas oedd David Hopkins, gof o bentref Sain Nicolas (ar gyrion Caerdydd) a gafodd lwyddiant yn addasu ei 'aradr foel'. Ond cafwyd cysylltiad pellach rhwng y pentref hwn a gwneuthurwyr peiriannau, oblegid yma y bu i ŵr o'r enw William Wright sefydlu ei fusnes. Enillodd William Wright wobrau yn y flwyddyn 1809 am ddyfeisio ac addasu peiriannau dyrnu. Rhwng 1824 ac 1828 symudodd y teulu o gyffiniau Gwenfô i Sain Nicolas, ac yn y pentref hwn yr ymsefydlodd aelodau'r teulu am weddill eu dyddiau. Brodor o swydd Suffolk oedd Wright yn wreiddiol, ond bu ei gyfraniad i ddatblygiad technolegol peiriannau fferm yn ddiflino, a dilynwyd ef yn y grefft gan ei fab, Benjamin. Yn ystod pedwardegau'r ganrif roedd gan y teulu weithdy pwrpasol, a chyflogid nifer o grefftwyr, yn seiri a gofaint. Arddangosodd Wright amrywiol fathau o beiriannau yng nghyfarfod Cymdeithas Frenhinol Amaethyddol Lloegr yng Nghaerdydd yn y flwyddyn 1848, ac erbyn 1861 roedd William Twaits, y mab, yn ffigwr pwysig ym Morgannwg. Datblygodd William Twaits Wright (mewn partneriaeth ag Evan Yorath o ardal Moulton yn y Fro) beiriant arbennig neu 'bigau' at godi gwair a gwellt. Ar ôl marwolaeth Wright parhaodd Yorath i gynhyrchu'r peiriant a'i addasu yn ddiweddarach mewn partneriaeth â Charles Grieves o Gaerdydd. Crefftwr pwysig arall o'r Bont-faen oedd gŵr o'r enw William Tilley a ddaeth yn enwog fel arbenigwr gwneuthur driliau hau. Arddangosodd enghreifftiau o'i waith yn y sioeau cenedlaethol ac fe'i dilynwyd gan ei fab, David Tilley, a sefydlodd fusnes yn canolbwyntio ar wneud troliau a gwageni; cystadleuydd pwysig i'r crefftwr Richard Aubrey, yntau hefyd â'i weithdy yn y Bont-faen.

Ond ni chyfyngwyd y gweithgarwch i ardaloedd gwledig Bro Morgannwg. Gwelwyd nythaid o beirianwyr yng Nghaerdydd yn ystod yr union gyfnodau a nodwyd uchod. Ymhlith y rhai pwysicaf gellir cyfeirio at Hugh Bird, Stryd Womanby; Jos. Gover, Sryd Tredegar; Thomas Lemon, Heol Dug; Reuben Lewis o'r Eglwys Newydd a Joseph Hall, Stryd Womanby. Daethant i gyd yn enwog fel gwneuthurwyr peiriannau amaethyddol ac arddangoswyd

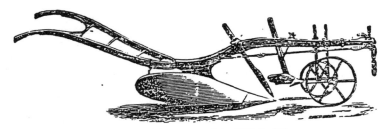

HUGH BIRD,

18, DUKE STREET, CARDIFF.

AGENT FOR

GIBB'S PERUVIAN GUANO,

FOR THE SALE OF

SUPERPHOSPHATE OF LIME,

BONES, AND OTHER

MANURES.

Importer of Linseed Cake, &c. &c.

AGENT FOR THE LEADING

IMPLEMENT MAKERS,

AND GENERAL

AGRICULTURAL SEEDSMAN.

WAREHOUSE—ST. MARY STREET.

SHOWROOM—WOMANBY STREET, CARDIFF;

And at the CATTLE MARKET, NEWPORT; and HIGH STREET, COWBRIDGE.

Hysbyseb Hugh Bird, Caerdydd, 1858.

AGRICULTURAL IMPLEMENT, ARTIFICIAL MANURE, CORN & SEED DEPÔT.

Dunraven Place, Bridgend,

CLAMORGANSHIRE.

Branch Establishments at Cowbridge & Cardiff

M   18

Bo*t* J Treharn Thomas

Implement Manufacturer

AND GENERAL

AGRICULTURAL MERCHANT &c.

AGENT TO ALL THE PRINCIPAL IMPLEMENT MAKERS IN THE KINGDOM

Date.	Description of Goods.	Bus.	Tons.	Cwts.	qrs.	lbs.	@	£	s.	d.

2295|153

Anfoneb cwmni Treharne & Thomas, Pen-y-bont ar Ogwr, Morgannwg.

enghreifftiau o'u gwaith mewn cyfarfodydd agored amrywiol gymdeithasau amaethyddol yng Nghymru a Lloegr. Yn ddiweddarach, yn ystod y bedwaredd ganrif ar bymtheg, gwelir enw gwneuthurwr pwysig arall, sef J Hibbert a'i Feibion, ond erbyn diwedd y ganrif troes llawer o'r gwneuthurwyr yn asiantau peiriannau i'r cwmnïau mawr a sefydlwyd yn Lloegr.

Ar wahân i Gaerdydd a'r Fro, roedd yna ganolfannau eraill yn Sir Forgannwg. Bu tref Pen-y-bont ar Ogwr hefyd yn flaenllaw ei chyfraniad fel canolfan gweithgarwch crefftau amaethyddol. Mae'n debyg mai un o'r gwneuthurwyr cynharaf a ffynnai yn y dref oedd William Bryant, Stryd Wyndham. Yn ystod hanner cyntaf y bedwaredd ganrif ar bymtheg roedd yn enwog fel perchennog ffowndri, a hefyd yn wneuthurwr offer ffermio o bob math. Yn ddiweddarach, yn ail hanner y ganrif, troes o fod yn wneuthurwr i fasnachu'r nwyddau hynny. Cwmni pwysig arall yn yr un dref oedd eiddo J & T Treharne (a newidiodd ei enw i Treharne & Thomas, Dunraven Place), ond wrth gwrs ni ddylid anghofio ychwaith am orllewin y sir lle ceid y cwmni Garner a Sankey, ffowndri Eaglesbush yng Nghastell-nedd. Ar wahân i gyflenwi darnau o beiriannau i'r diwydiannau cyfagos arbenigai'r ffowndri

Hysbyseb ffowndri Eaglesbush, Castell-nedd.

mewn gwneud darnau i erydr amaethyddol. Ar wahân i'r ffowndri uchod lleolwyd dau wneuthurwr peiriannau amaethyddol yn y dref honno, sef William Jones, High Street a gynhyrchai erydr ac ogedi, a chwmni Andrew Thomas, New Street, gwneuthurwyr offer amaethyddol o bob math. Ceir cofnod amlwg am y ddau wneuthurwr uchod yng *Nghyfarwyddiadur Slater* am y flwyddyn 1858-9. Ceir cyfeiriadau cyffelyb am wneuthurwyr a masnachwyr peiriannau fferm yn nhref Abertawe yn ogystal, sef Lewis Jones, 55 Oxford Street a chwmni Glover & Squirrell, 16 Strand. Roedd Glover & Squirell yn gangen o gwmni Fowler a Fray, Bryste. Dengys hyn pa mor bwysig oedd y cysylltiadau â phorthladdoedd eraill o safbwynt sicrhau cyflenwadau o offer parod at ofynion amaethyddol y cylch. Dichon yr adlewyrchir hyn gan gyfeiriadau pellach at fasnachwyr nwyddau haearn a ymsefydlodd yn y dref erbyn canol y bedwaredd ganrif ar bymtheg. Un o'r cynharaf oedd Henry Phillip, Castle Steet, ac yn ddiweddarach fe geir J S Brown, Oxford Street a arbenigai mewn gwerthu nwyddau haearn a phob math ar offer amaethyddol. Rhwng 1880 ac 1888 ceir enwau asiantwyr eraill yn y dref a ddosbarthai beiriannau i ffermwyr, sef E Jones a'i Feibion, J Griffiths, A Paton, a J Evans o'r Glais — pentref ar gyrion y ddinas bresennol.

Ond ar ôl y Rhyfel Byd Cyntaf, ac yn ystod cyfnod y dirwasgiad diflannodd y cwmnïau uchod, er bod yr asiantau nwyddau a pheiriannau wedi parhau i farchnata ar ôl hynny, ond mewn ardaloedd gwahanol yng ngorllewin y sir. Un o'r masnachwyr pwysicaf a fu'n gefn i'r diwydiant amaethyddol yn y cylchoedd hyn fu cwmni'r Brodyr White, Pontarddulais.

Bu bwlch yn hanes gwneuthurwyr peiriannau hyd at rai blynyddoedd cyn yr Ail Ryfel Byd, ac am ryw bymtheng mlynedd ar ôl cyfnod y Rhyfel cafwyd adfywiad yng ngorllewin Morgannwg. Brigodd y *Talbot Plough Company*, *Port Talbot* gyda chysylltiadau teuluol â chwmni *Oscar Chess* yn y dref honno. Datblygodd y cwmni yn lled enwog fel gwneuthurwyr erydr a disgiau llyfnu i dractorau. Roedd y cwmni hefyd yn gwerthu echelau olwynion i gerbydau fferm, bachau gafael *(hitches)* i dractorau ac yn ddiweddarach drolïau arbennig i gario llaeth. Lleolwyd prif swyddfa'r cwmni yn adeilad *Oscar Chess* (gwerthwyr moduron) yn nhref Port Talbot, ac ar ôl y Rhyfel defnyddiwyd hen adeiladau'r Llu Awyr yn Stormy Down fel prif safle gweithdai y peiriannau amaethyddol. Ar ôl cyfnod y Rhyfel canolbwyntiwyd ar ddatblygu a gwella mathau o erydr a disgiau. Erbyn 1949 addaswyd patrymau erydr ar gyfer marchnadoedd tramor, a datblygwyd yr hyn a elwid yn *New Continental Plough* ar gyfer gwledydd De Amerig. Gwnaethpwyd ymdrechion pellach i wella'r oged ddisg i gydymffurfio â gofynion newydd tractorau y pumdegau, ac erbyn 1957 roedd y cwmni yn enwog am y *Talbot Mounted Disc Harrow*. Bu'r cwmni yn flaenllaw iawn wrth farchnata'r peiriannau hyn a cheir hysbysebion cyson am gynnyrch y cwmni yn yr *Implement & Machinery Review* yn ystod y pumdegau a blynyddoedd cynnar y chwedegau. Gwnaeth cwmni Talbot ymdrechion i arddangos peiriannau mewn nifer o sioeau taleithiol a chenedlaethol, ac ar wahân i fynychu'r Sioe Frenhinol yn Lloegr bu'r cwmni yn gefnogol iawn i

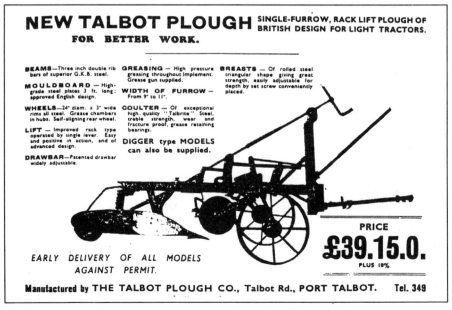

Hysbyseb aradr Talbot, 1946.

23

Gymdeithas Amaethyddol Frenhinol Cymru. Cyflwynwyd nifer o wobrau i gwmni Talbot ac yn y flwyddyn 1959 derbyniwyd medal arian Cymdeithas Amaethyddol Frenhinol Cymru am arddangos yr enghraifft ddiwygiedig o'r oged ddisg. Ymddengys i weithgarwch y cwmni barhau hyd Ionawr 1963; oherwydd ni ymddangosodd hysbyseb yn y cylchgrawn amaethyddol ar ôl y dyddiad hwnnw.

Dichon fod cystadleuaeth oddi wrth y cwmnïau mawrion yn Lloegr ac ar y cyfandir wedi llesteirio gallu cwmni Talbot i ddatblygu ymhellach. Ymddengys i'r cwmni barhau yn lledfyw, mewn enw beth bynnag, am rai blynyddoedd wedyn, ond ni chafwyd unrhyw gynnyrch oddi yno. Mewn rhifyn o'r *Western Mail*, dyddiedig 11 Mehefin, 1981, cyhoeddwyd rhybudd cyfreithiol am gyfarfod o gredydwyr y *Talbot Plough Limited* a oedd i'w gynnal ar ddydd Mercher, 17 Mehefin, 1981 yn Heol yr Eglwys Gadeiriol, Caerdydd. Felly, collwyd darn arall o gyfraniad pwysig cwmni a fu'n ganolog yng ngorllewin Morgannwg ac a fu'n rhan annatod o gyfraniad De Cymru i'r diwydiant amaethyddol.

Cwmni a ymsefydlodd yng nghyffiniau Caerdydd ychydig flynyddoedd ar ôl terfyn yr Ail Ryfel Byd oedd *Steel Fabricators (Cardiff) Ltd*. Lleolwyd y cwmni yn Heol Pengam, y Rhath, ac erbyn 1949 roedd y cynnyrch eisoes yn wybyddus i'r byd amaethyddol drwy Brydain. Arbenigai *Steel Fabricators* mewn datblygu peirianwaith ar gyfer tractorau i godi llwythi, ffyrch codi tail ac offer cyffelyb a gâi eu gweithio gan bŵer hydrolig y tractor. Cynlluniwyd yr offer dechreuol i'w ddefnyddio yn bennaf ar dractorau Ferguson, Ford-Ferguson, David Brown a Nuffield. Gelwid yr offer yn *Horn-draulic* ac fe drefnwyd eu marchnata dramor drwy swyddfa cwmni *Steel Fabricators (Overseas) Ltd*, 7 Chesterfield Gardens, Llundain. Erbyn dechrau'r pumdegau cydweithiodd y cwmni i ddatblygu offer arbennig i docio gwrychoedd i'w gosod ar dractorau gan ddefnyddio peiriannau tocio McConnel. Yn 1951 roedd *Steel Fabricators* eisoes yn defnyddio gwasanaeth L E Vincent a'i Bartneriaid i weinyddu'r adran fasnach dramor. Deil y cwmni i ffynnu ac i gynhyrchu amrywiaeth o beiriannau amaethyddol i gwmnïau eraill, a lleolir swyddfa *Steel Fabricators* neu '*Steel Fab*' yn Heol Curran, Caerdydd.

Tueddir i ystyried mai o ganolfannau'r diwydiannau trwm y daeth prif gyfraniad yr hen Sir Fynwy (fel rhannau o Forgannwg) i economi'r ardaloedd. Ond rhaid cofio bod ardaloedd amaethyddol pwysig ym Mynwy hefyd ac yr oedd galw cyson am beiriannau fferm yn ystod y ganrif ddiwethaf a'r ganrif hon. Yng nghasgliad yr Amgueddfa Werin ceir dril rwdins o waith J Turner, Rhyd-y-meirch, Llanofer sy'n dyddio o ganol y bedwaredd ganrif ar bymtheg, ac fe ddengys weithgarwch crefftwr unigol yn hytrach na chynnyrch ffowndri. Cafwyd gwneuthurwyr erydr, megis Nicholas Edwards o Lanfihangel a ddyfeisiodd addasiad arbennig i erydr yn 1817. Crefftwr unigryw arall oedd W Arthur, gof wrth ei alwedigaeth a ganolbwyntiai ar wneud erydr. Lleolid ei weithdy ef yn Stryd y Farchnad, Pont-y-pŵl, a bu'n gweithio yno am y rhan fwyaf o'r cyfnod rhwng 1870 ac 1906. Un arall a

Now your Horn-draulic loader can cut hedges, ditches & verges.

HEDGING ATTACHMENT

The Horn-draulic — McConnel Hedging Attachment is made especially for the Horn-draulic Loader by the manufacturers of the well known McConnel - Gilmour Hedge Cutting machine. **SAVES YOU MONEY AND TIME!**

 Please write for leaflet giving full details

Hysbyseb cwmni Steel Fabricators *Caerdydd,*
gwneuthurwyr yr Horn-draulic Loader *ar ddechrau'r pumdegau.*

25

leolid yng nghyffiniau Pont-y-pŵl oedd William Wilks o'r Goetre, ac fe leolid ffowndri gŵr arall o'r enw John Wilks yn Little Mill, Mamheilad, a oedd eto ger y Goetre yn yr un sir. Cafwyd hefyd glwstwr o wneuthurwyr a oedd yn berchen cwmnïau bychain ac yn arbenigo mewn gwneud peiriannau fferm. Un o'r cwmnïau enwocaf yn y cyswllt hwn oedd W I Hampshire, Rhaglan a brynodd hen fusnes Jos. F A Mathews tua'r flwyddyn 1912. Ceir nifer o enghreifftiau o waith Hampshire ar hyd a lled ffermydd y sir — yn amrywio o roleri tir a pheiriannau cneifio i adeiladau pren ar gyfer anifeiliaid a da pluog, neu ffowls. Gwneuthurwyr cyffelyb o safbwynt cynnyrch oedd Robert Meara, Abersychan; Edwin Phillips, Trefynwy; William Roberts, y Fenni a James R H Penn o Landeilo Gresynni. Ffynnai'r cwmnïau bychain hyn yn ystod ail hanner y bedwaredd ganrif ar bymtheg.

Ond fe geid dosbarth arall o wneuthurwyr yn Sir Fynwy a gyfunai waith diwydiannol ffowndri â bod yn wneuthurwyr peiriannau amaethyddol. Tua diwedd y ganrif ddiwethaf a dechrau'r ganrif hon troes nifer ohonynt yn fasnachwyr nwyddau a pheiriannau. Lleolir gweithdai'r cwmnïau hyn yn nhrefi pwysicaf y sir. Yn naturiol, roedd y Fenni yn dref farchnad draddodiadol ac yno y lleolid gwaith Jno. A a Thos. Lewis a ganolbwyntiai ar gynhyrchu amrywiaeth o beiriannau yn ogystal â chlwydi a rheiliau ffensio. Lleolid y gweddill o'r prif wneuthurwyr yn nhrefi Casnewydd a Phont-y-pŵl. Un o'r pwysicaf yn ddiau oedd Charles D Phillips, gwaith yr Emlyn. Roedd Phillips yn beiriannydd, yn ddyfeisydd a gwneuthurwr cynfasau ar gyfer teisi gwair ac ŷd. Dyfeisiodd y cwmni beiriannau arbennig ar gyfer sychu cnydau hefyd a cheir cyfeiriadau at weithgarwch dyfeisgar Charles Phillips mewn amryw rifynnau o Gylchgrawn Cymdeithas Amaethyddol Frenhinol Lloegr am y flwyddyn 1882. Canolfan fasnachol a oedd gan Dutfield & Frost, y Stryd Fawr, Casnewydd ac fe werthid amrywiol beiriannau prif wneuthurwyr amaethyddol y cyfnod yno, ond yr oedd cwmni John Smart a'i Feibion yn dal i gynhyrchu offer fferm hyd at dridegau'r ganrif hon. Ym Mhont-y-pŵl roedd cwmni Sandbrook a Dawe yn dal i gynhyrchu peiriannau i ffermwyr lleol hyd at 1926 ac yn fasnachwyr cyffredinol ar ôl hynny hefyd. Ymddengys mai un o'r cwmnïau mwyaf traddodiadol o safbwynt cefndir diwydiannol oedd George Davies yn y Fenni. Roedd y cwmni yn llewyrchus yn ystod y bedwaredd ganrif ar bymtheg, ac yn enwog fel seiri melinau a gwaith ffowndri traddodiadol yn ogystal â bod yn un o'r gwneuthurwyr peiriannau ac offer amaethyddol. Ond fe droes y cwmni ei olygon tuag at gynhyrchu peiriannau mwy trawiadol ar droad yr ugeinfed ganrif, gan arbenigo mewn peiriannau olew. Arddangoswyd cynnyrch y cwmni yn y Sioe Amaethyddol Frenhinol a gynhaliwyd yng Nghaerdydd yn 1901, ac fe nodir enw swyddogol y cwmni — *George Davies & Company, Lion Engine Works, Abergavenny.*

Soniwyd yn gynharach am weithgarwch Cymdeithas Amaethyddol Sir Gaerfyrddin ac eraill, ac yn Ne-orllewin Cymru, yn yr ardaloedd sy'n ymestyn o Ddyffryn Teifi i siroedd Penfro a Chaerfyrddin, cafwyd brwdfrydedd cyffelyb gan unigolion a chwmnïau fel ei gilydd yn yr

Hysbyseb cwmni Jno. A & Thos. Lewis
yng Nghyfarwyddiadur Kelly, 1884.

27

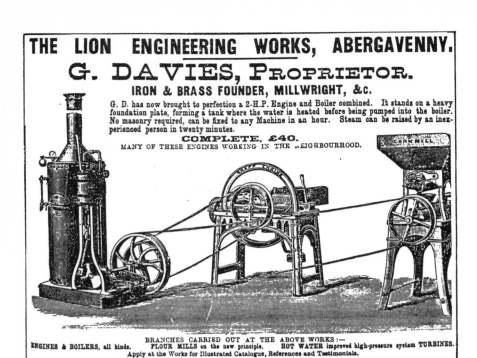
Hysbyseb cwmni George Davies, Y Fenni, yng Nghyfarwyddiadur Kelly, 1884.

Hysbyseb Thomas Bright, Caerfyrddin, 1858.

ymdrechion i gynhyrchu pob math ar offer a pheiriannau amaethyddol. Gwelir bod nifer o'r trefi marchnad yn yr ardaloedd hyn yn Ne-orllewin Cymru wedi sefydlu eu hunain yn brif ganolfannau i'r diwydiant amaethyddol. Yn nhref Caerfyrddin gellir olrhain y datblygiad i'r ddeunawfed ganrif pan gynyddwyd gweithgarwch ffowndrïau y dref i gynnwys amrywiaeth o beiriannau ac offer yn ogystal â gwaith traddodiadol ar y llongau a hwyliai yn gyson yn ôl ac ymlaen i'r Cei ar lannau afon Tywi. Sefydlwyd o leiaf dair ffowndri yn y dref ei hun ac erbyn canol y bedwaredd ganrif ar bymtheg lleolwyd dwy ohonynt yn Heol Las ac un arall yn Heol y Prior. Perthynai'r ddwy gyntaf i gadwyn o wahanol berchnogion gan gynnwys un o'r perchnogion cynharaf, sef Philip Vaughan (Vaughan a Luke) a symudodd o Stryd y Cei i'r Heol Las yn nhridegau cynnar y bedwaredd ganrif ar bymtheg. Gyda'i gwmni bu Philip Vaughan yn yr Hen Ffowndri yn cynhyrchu rhannau i beiriannau fferm, ond yn 1836 fe gymerodd cwmni Jones a Phillips yr awenau gan barhau â'r gwaith a chynhyrchu rhannau o waith haearn a phres ar gyfer llongau hefyd. Olynydd Jones a Phillips oedd gŵr o'r enw Thomas Bright ac ef yn anad neb arall yn nhref Caerfyrddin a arbrofodd fwyaf â dulliau cynhyrchu peiriannau a dyfeisio offer newydd. Er i Thomas Bright farw yn 1870 bu ei weddw, Eliza Maria Bright, yn ganolog ym marhad y ffowndri. Gwnaeth ymdrechion pellach i gryfhau'r busnes drwy wahodd G M Garrad o Ipswich i ymuno mewn partneriaeth â hi. Bu'r fenter yn llwyddiannus a pharhawyd traddodiad Thomas Bright yn y math o offer a gynhyrchid yn yr Hen Ffowndri. Erbyn tua 1880 roedd cwmni o'r enw *The Old Foundry Company Carmarthen* yn berchen ar y gwaith ac fe ddilynwyd y cwmni hwn gan William Isaac. Erbyn troad yr ugeinfed ganrif roedd Isaac a'i Gwmni wedi sefydlu marchnad lewyrchus i nwyddau'r Hen Ffowndri, ac yn y dauddegau ymunodd y mab, G Bertram Issac, â'r busnes. Oherwydd gofynion cyfredol yr oes newidiwyd enw'r cwmni i *Wm Isaac & Son, Mechanical Engineers, Blue Street, Carmarthen* a pharhawyd â'r gweithgareddau masnachol hyd at 1931-32. Erbyn 1936 defnyddid yr adeiladau gan gwmni James Strick a'i Feibion, masnachwr tatws o Abertawe. Rhaid oedd i'r Hen Ffowndri yn Heol Las wynebu cystadleuaeth gref oddi wrth y ffowndri gyfagos yn yr un heol yn ystod y cyfnodau cynnar, ac un o berchnogion mwyaf llwyddiannus y ffowndri honno yn nechrau'r bedwaredd ganrif ar bymtheg oedd Willam Moss a'i Feibion a fu yn y busnes o tua 1830 hyd at 1880. Mae'n debyg mai olynydd Moss oedd gŵr o'r enw Thomas Mostyn Davies ac ef a fu'n gyfrifol am y ffowndri honno hyd at droad yr ugeinfed ganrif. Rhwng y blynyddoedd 1835 ac 1842 sefydlodd John Davies weithdy gwneud peiriannau amaethyddol a diwydiannol yn Heol Las. Brodor o Lanbryn-mair ydoedd ac un o deulu yr enwog frodyr Davies, Dôl-goch, Llanbryn-mair. Brodor arall o Lanbryn-mair a ymsefydlodd yn nhref Caerfyrddin oedd Thomas Wigley. Fe'i ganed yn 1806 ac erbyn 1858 gweithiai fel peiriannydd a gwneuthurwr offer amaethyddol. Lleolwyd ei weithdy yn Stryd y Bont yn y dref.

Ffowndri bwysig arall yn nhref Caerfyrddin oedd gwaith y Priordy.

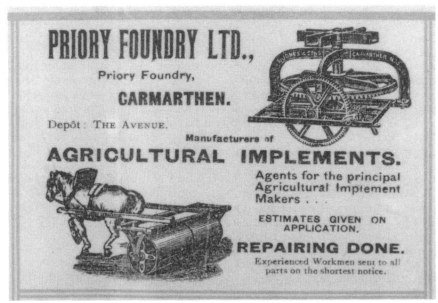

Hysbyseb ffowndri Heol y Prior, Caerfyrddin, 1903.

Sefydlwyd y ffowndri ar safle hen argraffdy Ross ac yn 1858-59 rheolwyd y gwaith gan Frederick Griffiths, eithr erbyn 1875 ymddengys mai T Jones a'i Fab oedd y perchennog newydd. Brodor o ardal Llanpumsaint oedd Thomas Jones (1818-92), yn fab i ffermwr ac yn un o ddeg o blant. Yn wreiddiol roedd gan Thomas Jones efail ym Mhenrhiwgoch cyn symud i Gaerfyrddin, ac fe'i dilynwyd yng ngweithgarwch ffowndri Heol y Prior gan ei fab hynaf, Benjamin (1847-1922). Buan iawn y daethant i enwogrwydd fel cynhyrchwyr olwynion dŵr, gêr ceffylau, offer trin y tir ac offer a rhannau i beiriannau y diwydiant gwlân a ffynnai yn y gymdogaeth. Ychwanegodd Ben Jones ganolfan yn Paxton House, 15 Heol y Prior i werthu peiriannau cyffredinol, ac ar ôl ei farw yn 1922 cadwodd ei weddw yr asiantaeth am gyfnod byr. Bu amryw o fân fusnesau eraill yn y dref a fu'n gyfrwng i farchnata peiriannau parod o Loegr, ond rhaid oedd aros hyd at y Rhyfel Byd Cyntaf cyn gweld sefydlu cwmni o'r newydd. Enw'r cwmni hwn oedd *D O Jones a'i Feibion, The Lion Works, Carmarthen*, ac fe ganolbwyntiodd y perchennog newydd ar gynhyrchu ac addasu erydr, rhannau o erydr a phigau gwair a ddyfeisiwyd yn wreiddiol gan ei dad, sef Dafi Jones, gof y *Lion*, Pant-y-betws, Beulah, ger Castellnewydd Emlyn. Lleolwyd gweithdy'r *Lion* mewn amrywiol fannau yn nhref Caerfyrddin. Yn ystod y tridegau a blynyddoedd yr Ail Ryfel Byd arbrofwyd ar gynhyrchu aradr arbennig i dractor. Rhwng 1946 a'r flwyddyn ddilynol symudodd D O Jones o Gaerfyrddin a sefydlu gweithdy newydd yn yr *Ivy Garage*, Llanbedr Pont

Hysbyseb cwmni D O Jones a'i Feibion, Caerfyrddin, 1946.

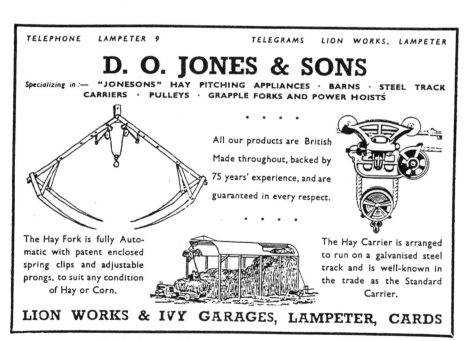
Lleoliad newydd cwmni D O Jones a'i Feibion yn Llanbedr Pont Steffan, 1951.

Steffan.

Ar droad yr ugeinfed ganrif sefydlwyd busnes cynhyrchu offer amaethyddol a diwydiannol gan George Shaw Richmond — y *Victoria Engineering Works* yn nhref Llanelli. Ar wahân i offer diwydiant cynhyrchai'r cwmni 'injans' olew a melinau i falu grawn ar gyfer amaethwyr, ac fe ymddengys i'r busnes ffynnu rhwng 1906 ac 1926. Bu nifer o fân fusnesau a ffowndrïau bychain yn cynhyrchu ac yn atgyweirio peiriannau mewn pentrefi a threfi y tu allan i Gaerfyrddin a Llanelli hefyd. Yn eu plith roedd *Spain Foundry*, Llangadog, a ffynnai am gyfnod byr rywbryd rhwng 1845 ac 1850. Lleolwyd y ffowndri ger Pontarllechau lle ceid dau fwthyn a enwyd yn 'Twrci' a 'Sbaen'. Peiriannydd a pherchennog ffowndri fechan arall oedd David Owen. Lleolid ei weithdy ef yn nhref Castellnewydd Emlyn ac fe gyfeirir ato yng *Nghyfarwyddiadur Slater* am y flwyddyn 1858-9, ond yn anffodus ni cheir manylion am gynnyrch y ffowndri.

Ond dichon mai'r enghraifft ddiweddaraf yn ardal Caerfyrddin oedd gweithgarwch gof penodol ym mhentref Llangynog, rai milltiroedd i'r gorllewin o'r dref. Yn 1951 gwnaeth David Griffiths, *College Bach Works* (sef hen efail College Bach, Llangynog), waith arbrofol i wella cynllun y pigau codi gwair, ac fe farchnatwyd y cynnyrch, sef y *Griffith's New Ideal Hay Fork*, am £8-10-0.

Stondin D O Jones a'i Feibion mewn sioe leol yn ystod y pumdegau.

Hysbyseb David Griffiths, Llangynog ger Caerfyrddin, 1951.

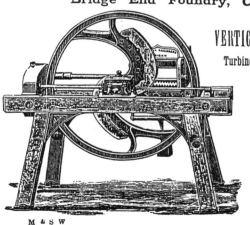
Hysbyseb Timothy Thomas a'i Fab, 1884.

33

Cyffelyb yw hanes y diwydiant yn nhref Aberteifi, ond yn hytrach nag amryw o weithgareddau peiriannol canolwyd y gwaith amaethyddol yn bennaf i un brif ffowndri yn y dref, sef ffowndri Bridge End. Roedd mân ffowndrïau eraill yn y dref yn ogystal, ond roedd galw mawr am wasanaeth Bridge End i atgyweirio a pharatoi darnau haearn a chadwyni. Sefydlwyd y ffowndri tua'r flwyddyn 1854, er bod y gwaith dechreuol wedi ei leoli ar y cei. Gŵr o'r enw Timothy Thomas oedd y perchennog ac fe ddaeth yn enwog fel dyfeisydd a gwneuthurwr pob math o offer. Yn 1869 dyfeisiodd beiriant malu grawn a bu hwnnw'n llwyddiant mawr, ac yn y flwyddyn 1872 arddangosodd Timothy Thomas saith ar hugain o wahanol beiriannau yng nghyfarfod Cymdeithas Frenhinol Amaethyddol Lloegr yng Nghaerdydd. Cafwyd enghreifftiau o beiriannau dyrnu, torri eithin, malu, torri a sleisio rwdins, rholeri ac offer llaethdy. Bu'r fenter yn llwyddiannus iawn yn y dref ac erbyn 1884 roedd Timothy Thomas wedi agor busnes tebyg yn nhref Castellnewydd Emlyn. Bu farw yn 1897 ac fe'i olynwyd yn ffowndri Bridge End gan S F Kelly. Ond erbyn degawd olaf y ganrif penodwyd W E Mathews yn rheolwr, a buan y daeth ef yn berchen ar y busnes. Cychwynnodd y ffowndri gynhyrchu olwynion dŵr o bob math, offer gwneud briciau a phympiau dŵr yn ogystal â'r peiriannau traddodiadol a gynhyrchwyd gan Timothy Thomas. Yr un fu hanes y ffowndri â gwaith Wm Isaac yng Nghaerfyrddin, oherwydd ar ôl y Rhyfel Byd Cyntaf troes y gorchwylion yn fwyfwy at waith atgyweirio peiriannol ac yna yn ddiweddarach at gerbydau a moduron. Yn 1936 ymunodd W G Mathews, y mab, â'r busnes ac fe barhaodd â'r gwaith peiriannol a gwerthu moduron hyd yn ddiweddar, pan werthwyd y safle. Y mae'n werth nodi bod yna ffowndri arall yn nhref Aberteifi a fu'n cynhyrchu rhannau i offer amaethyddol. Enw'r cwmni yn y flwyddyn 1884 oedd *The Cardigan Engineering Foundry & Steam Joinery Works* a berthynai i gwmni Miles ac Woodward. Ymddengys mai yn 1880 y datblygwyd ac ehangwyd y safle. Hen ffowndri Lloyds, Mwldan (a gymerwyd drosodd gan *Eureka Engineering & Foundry Works* yn 1879) a leolid yma yn wreiddiol. Dichon mai'r un cwmni, sef y *Cardigan Engineering Works*, a ddilynodd yr uchod, ac fe geir enghreifftiau o erydr lleol gyda darnau wedi'u gwneuthur gan y cwmni lleol hwn. Prif elynion y ffowndrïau yn nhref Aberteifi tua diwedd y bedwaredd ganrif ar bymtheg oedd y masnachwyr William a Levi James. Gyda dyfodiad y rheilffordd daeth y masnachwyr hyn i amlygrwydd fel prif werthwyr peiriannau i ffermwyr Dyffryn Teifi, a cheir nifer o gyfeiriadau at arddangosfeydd arbennig a drefnid gan y masnachwyr i hybu gwerthiant peiriannau a wnaed gan y cwmnïau mawr yn Lloegr.

Yn Sir Benfro ceir darlun go debyg i'r siroedd eraill o safbwynt ffurfiant a maint y cwmnïau a arbenigai mewn peiriannau amaethyddol. Un o brif wneuthurwyr cynharaf y sir, a ddaeth i gryn enwogrwydd yn lleol ac yn genedlaethol, oedd y teulu Marychurch o dref Hwlffordd. Enw'r cwmni'n wreiddiol oedd Lloyd a Marychurch, oherwydd yng *Nhyfarwyddiadur* 1830 cyfeirir atynt fel gofaint yn Stryd y Bont, Hwlffordd, ac enw pwysig arall a

BRIDGE-END FOUNDRY, CARDIGAN

ADJOINING RAILWAY STATION,

(LATE S. F. KELLY)

Engineer, Millwright, Iron & Brass Founder

SPECIFICATION FOR WATER WHEEL

16 ft. *0* inches diameter, by *2* ft. *6* inches wide in the clear.

8 Cast Iron Shrouds each Side, jointed and fitted together

56 Wrought Iron Buckets, No. *10* Gauge.

Wrought Iron Lining, No. *11* Gauge.

8 Wrought Iron Arms each side *3* ins. by *5/8* ins

2 Cast Iron Centres, Bored and Keyed on Shaft.

~~Wrought Iron Main Shaft ins. diameter.~~

~~Cast Iron Bearings for above, fitted with Bottom Brasses~~

8 Wrought Iron Stays *3/4* ins. square.

~~Cast Iron Spur Driving Ring in Segments, ft. ins. diameter, by ins. on face.~~

~~Cast Iron Spur Driving Wheel ft. diameter, by ins. on face, Bored and Keyed on Main Shaft.~~

~~Suitable Pinion for same.~~

~~Wrought Iron Pinion Shaft crossing Wheel Pit diameter~~

1 Cast Iron Bearings for same fitted with Brasses.

All necessary Bolts, Nuts, and Rivets for same.

~~Wrought and Cast Iron Water Trough ft. ins. long, with Trap-door.~~

DELIVERED *On Cart at Work here*

ERECTED *On Desired Site at Pontbren Mill*

Mr. *Morris Jones* Providing all Masonry Work, Board and Lodging for Fitter, and necessary assistance whilst erecting Wheel.

Manylion ynglŷn ag olwyn ddŵr ar gyfer Melin Bompren, Caerwedros, gan ffowndri Bridge End, Aberteifi.

Hysbyseb ffowndri yn nhref Aberteifi, 1884.

ddaeth yn gysylltiedig â theulu'r Marychurch oedd James Griffiths, y Stryd Fawr a sefydlodd fusnes yno tua 1830. Roedd y teulu Marychurch yn enwog am eu peiriannau nithio, torwyr maip a rwdins a chribiniau gwair. Arddangosodd y cwmni enghreifftiau o'r cynnyrch yn arddangosfa fawr Llundain, 1851. Joseph Marychurch oedd y cyntaf o'r teulu i ddod i sylw'r cyhoedd, ac o 1851 ymlaen roedd cynnyrch ei weithdai yn enwog trwy Brydain. Un o'i beiriannau cynharaf a mwyaf llwyddiannus oedd cribin geffyl neu 'raca wair' ac yng nghyfarfod Cymdeithas Frenhinol Amaethyddol Lloegr a gynhaliwyd yn Salisbury yn 1857, rhoddwyd clod arbennig i Joseph Marychurch am ei ddyfeisgarwch. Yr oedd hefyd yn fasnachwr nwyddau haearn yn y Stryd Fawr, a gelwid y busnes yn *Joseph Marychurch & Son, Ironmonger and Agricultural Implement Maker.* Dichon mai ei fab, neu o bosibl ei frawd, yw'r William Marychurch y crybwyllir ei enw yn aml mewn gwahanol ddogfennau a chylchgronau amaethyddol, a hynny yn yr un cyfnod â Joseph Marychurch. Ar 15 Mai, 1856, cynhyrchwyd addasiad William Marychurch a John Griffiths o'r cribin gwair, gan nodi amryw o welliannau ar y ddyfais neu'r *patent* gwreiddiol. Ddwy flynedd yn ddiweddarach yng nghyfarfod neu sioe Cymdeithas Frenhinol Amaethyddol Lloegr a gynhaliwyd yng Nghaerdydd, cafwyd rhestr o beiriannau a arddangoswyd gan y teulu Marychurch. Mae'n ddiddorol sylwi bod enw John Griffiths yn ymddangos yng *Nghyfarwyddiadur* 1858-9 fel peiriannydd a gwneuthurwr offer amaethyddol, wedi ei leoli yn Stryd yr Hen Bont, Hwlffordd. Mae'n amlwg felly fod yna gysylltiadau agos iawn rhwng Griffiths a Marychurch yn y diwydiant arbenigol hwn yn nhref Hwlffordd yn ystod y bedwaredd ganrif ar bymtheg. Ond erbyn y flwyddyn 1884 diflannodd yr enw Marychurch a cheir cwmni o'r enw Evans a Griffiths yn y *Cleddau Iron Works, Bridge Street.* Yr oedd ffowndri ar y safle hwn yn y dref hefyd.

Gwneuthurwr arall o bwys yn Sir Benfro oedd Thos. David, ffowndri Woodside yn Saundersfoot. Sefydlwyd y ffowndri tua 1850 a bu Thos. David a'i gwmni yn ganolog i'r diwydiant trwm a'r diwydiant amaethyddol

36

Tudalen o gatalog cwmni Llewellin, Hwlffordd, 1928.

37

yn y cylch hwnnw. Prif gynnyrch y ffowndri oedd offer trin y tir a cheir nifer o enghreifftiau o roleri Thomas David a'i Gwmni ar ffermydd ledled y sir o hyd. Erbyn 1923 ymddengys nad oedd Thos. David bellach yn fyw, oherwydd nodir enw ei wraig (neu'i weddw), Mrs Florence David, yn berchennog y ffowndri. Roedd grŵp o wneuthurwyr eraill mewn dosbarth ar lefel wahanol, megis Caleb Morris, Solfach a adnabuwyd fel gwneuthurwr peiriannau, a George Lloyd a fu'n berchennog ffowndri ym Mhenfro. Cafwyd hefyd ddosbarth a droes yn beirianwyr a masnachwyr offer fferm. Ymysg nifer ohonynt ceir J ac A Stevens, *East Back Works*, Penfro; Jenkins a'i Feibion, Harroldstone; T E ac S Morgan, Arberth ac W M Warlow a J Beddoe, eto o Benfro. Ar wahân i gynhyrchu offer llaw bu'r teulu Davies, gofaint Penrallt, Mynachlog-ddu hefyd yn gwneud olwynion dŵr ar gyfer ffermydd a melinau gwlân y sir. Daniel Davies, un o'r meibion, oedd prif gynhyrchydd yr efail yn 1906.

Ond un o'r gwneuthurwyr pwysicaf yn y sir oedd G Llewellin a'i Feibion, Hwlffordd, ac yn ddechreuol canolbwyntiodd y cwmni ar gynhyrchu offer y llaethdy. Daeth y cwmni yn fyd enwog fel un o brif wneuthurwyr yr offer hyn yn ystod y bedwaredd ganrif ar bymtheg a'r ugeinfed ganrif. Enillodd y cwmni fedalau di-rif am y cynnyrch — a amrywiai o offer cyweirio a chorddi ymenyn i offer gwneud caws. Parhaodd y cwmni yn weithgar hyd at gyfnod yr Ail Ryfel Byd. Dichon fod lleihad wedi bod yn y galw parhaol am offer tebyg ar ôl y tridegau pan sefydlwyd y Bwrdd Marchnata Llaeth, oherwydd wedi hynny medrai ffermwyr werthu llaeth yn uniongyrchol i'r ffatrïoedd. Erbyn 1950 newidiodd cyfeiriad marchnata y cwmni ac er bod offer llaethdy yn dal ar y rhestr rhoddwyd sylw i nwyddau eraill megis siediau neu gabanau pren i ddal ffowls neu dda pluog, tai gwydr, 'trelars' ar gyfer tractorau a mân offer amaethyddol a wnaed o bren.

Canolbarth Cymru a Gogledd Ceredigion

Mewn rhifyn o'r *Cymmrodor* (1928) ac yn ddiweddarach mewn cyfrol ddisgrifiadol am rai o gasgliadau Amgueddfa Genedlaethol Cymru, sef *Guide to the Collections Illustrating Welsh Folk Crafts and Industries* (1935) ceir portread pwysig o gyfraniad John Davies (1783-1855), Peiriannydd Gwynedd, Dôl-goch ger Llanbryn-mair, Powys. Yn ôl yr awdur, sef y Dr Iorwerth C Peate, John Davies oedd un o brif wneuthurwyr peiriannau amaethyddol a diwydiannol ei ganrif. Fe'i dilynwyd gan ei feibion a buont hwythau yn eu dydd yr un mor ddyfal a dyfeisgar yn eu gwahanol alwedigaethau a amrywiai o fod yn seiri melinau, seiri coed, seiri troliau a gwneuthurwyr clociau a pheiriannau amaethyddol o bob math. Ond dichon mai prif gyfraniad y teulu oedd yr hyn a wnaethpwyd ganddynt i ateb gofynion y diwydiant gwlân yng Nghymru o ganol y bedwaredd ganrif ar bymtheg hyd at flynyddoedd cynnar yr ugeinfed ganrif. Y mae llyfrau cyfrifon teulu Dôl-goch yn ddogfennau pwysig o safbwynt hanesyddol ac fe geir ynddynt gofnodion manwl o weithgareddau a symudiadau'r gweithwyr a'r teulu o Ganolbarth Cymru i'r De ac i'r Gorllewin. Roedd galw cyson amdanynt i atgyweirio peiriannau melinau gwlân ac i wneuthur peiriannau o faint arbennig i'w gosod mewn lleoedd penodedig.

Ond ar wahân i'r cwmni teuluol uchod, tebyg ydyw hanes gwneuthurwyr peiriannau amaethyddol y Canolbarth i rannau eraill o Gymru. Ceid cyfuniad o gwmnïau a leolid yn y trefi marchnad yn ogystal ag unigolion neu grefftwyr penodol a sefydlodd weithdai bychain yng nghefn gwlad. Diau mai un o'r cwmnïau pwysicaf ym Mhowys a ddaeth yn enwog am wneud peiriannau yn ogystal ag amrywiaeth o gynhyrchion eraill oedd J.E. Nott a'i Gwmni, y Stryd fawr, Aberhonddu. Yng *Nghyfarwyddiadur Slater* 1858-9 cyfeirir at J.E. Nott fel gof, gwerthwr nwyddau haearn, gwneuthurwr hoelion a *bellhanger*. Erbyn yr wythdegau gelwid y busnes yn J.E. Nott a'i Gwmni, perchennog ffowndri yn y Stryd Fawr. Erbyn 1901, pan gynhaliwyd Sioe Cymdeithas Amaethyddol Frenhinol Lloegr yng Nghaerdydd, gwelir bod cwmni Nott wedi cynyddu cynnyrch y ffowndri — a amrywiai o beiriannau amaethyddol i nwyddau haearn gan gynnwys offer gwneud caws ac ymenyn. Cyhoeddodd y cwmni gatalog manwl yn rhestru ac yn darlunio'r cynnyrch, ac fe ymddengys bod y cwmni wedi ehangu gryn dipyn gan sefydlu gweithdy newydd a stordy yn Bell Lane yn ogystal. Ar wahân i'r ddau safle uchod llwyddodd y cwmni i sicrhau stordai ychwanegol i ddal y cynnyrch yn Ship Street, a sefydlu cangen ychwanegol yn Bell Street, Talgarth. Yn rhifyn 1906 o *Gyfarwyddiadur Kelly* cyfeirir at gwmni 'J.E. Nott, 10 Ship Street' fel *'motor car agents and dealers'* yn ogystal â bod yn gynhyrchwyr peiriannau o bob math. Dengys catalog Sioe Cymdeithas Amaethyddol Frenhinol Lloegr a gynhaliwyd yng Nghaerdydd yn 1919 i'r cwmni barhau i arbenigo mewn peiriannau amaethyddol. Yn y cylchgrawn ceir rhestr gynhwysfawr o'r cynnyrch. Erbyn hynny, wrth gwrs, datblygodd y cwmni i fod yn asiant

SWING PLOUGHS.

C.X. or Half Long Pattern	...	...	£3 5s. 0d.
J.E.6 or Pontselly...	..	... ...	£3 10s. 0d.
D.X. or Llangynidr	...	...	£3 15s. 0d.

These are Local Pattern Ploughs and fitted with Wrought
Iron Shares and Bottom Plates.

A 1 Swing Plough with Cast Share	...		£4 0s. 0d.
R.A. with Steel Breast	...	... ...	£4 13s. 0d.
R.B. with Steel Breast	...	...	£5 1s. 0d.
R.C. do. do.	...	... ...	£5 9s. 0d.
R.N.D. do. do.	...	...	£4 10s. 0d.
R.N.D.H. do.	...	...	£4 17s. 6d.

RIDGING PLOUGHS OR MOOTERS.

Swing Ridging Plough with wrought share	£3	0s	0d
Do. do. Heavy pattern, cast share	£3	5s	0d
S.B. Howard's Swing	...	£3	15s 0d
Do. do. one wheel ...	...	£4	0s 0d
Do. do. two wheels ...	...	£4	5s 0d
Ransom's R.N.R.L. with two wheels	...	£4	5s 0d
Hornsby's L.M. do.	...	£4	0s 0d

Markers, 8/- extra.

We hold the largest stock of Ploughs and Fittings
in the county, by Hornsby, Ransome, Howard,
and other makers.

Tudalen o gatalog cwmni J E Nott, Aberhonddu, 1901.
Sylwer ar y cyfeiriad at wneuthurwyr erydr.

TURNIP DRILLS.

Two-Row Improved Turnip Drill with Ash Frame and Shafts ... £6 10 0

Two-Row Improved Turnip Drill, with Ash Frame and large Front Wheel .. £6 5 0

The concave rollers of these Drills slide on the spindle and adjust themselves to the width of the Rows.
These Drills are suitable for Turnips and Mangel Wurzel.

Tudalen arall o gatalog J E Nott a'i gwmni, 1901.

gwerthu peiriannau i brif wneuthurwyr gwledydd Prydain yn ogystal. Yn bennaf, canolbwyntiai cwmni Nott ar wneud olwynion dŵr, gêr ceffylau, peiriannau ysgubor, ogedi, erydr ar batrymau gofaint lleol, rholeri, driliau hau, offer y llaethdy, cychod gwenyn, seddau haearn bwrw a chlwydi o bob math. Fel llawer i gwmni cyffelyb yng Nghymru a Lloegr bu'r dirywiad yn nauddegau'r ganrif hon yn faen tramgwydd i ffyniant a pharhad y gweithgarwch, a bu'r tân damweiniol yn stordai cwmni Nott yn 1926 yn ddigon i roddi terfyn ar weithgarwch un o brif gynhyrchwyr peiriannau amaethyddol Canolbarth Cymru.

Ar wahân i gwmni Nott, a ddaeth i amlygrwydd ym mlynyddoedd olaf y bedwaredd ganrif ar bymtheg, ceid nifer o ffowndrïau bychain a gweithdai eraill yn nhref Aberhonddu a sefydlwyd flynyddoedd ynghynt. Yn 1830 nodir enw Howell Maund, perchennog ffowndri yn y dref, ac yng nghofnodion teulu'r Fychaniaid, Gelli-aur ger Llandeilo canfyddir bod ffowndri Maund yn hen sefydliad a ffynnai o ddiwedd y ddeunawfed ganrif.

Hysbyseb cwmni Hodges a Wright, Aberhonddu, 1858.

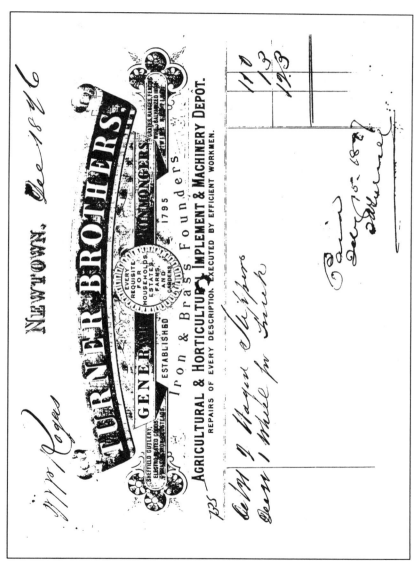

Enghraifft o anfoneb cwmni'r Brodyr Turner, y Drenewydd.
(Llun trwy garedigrwydd Trevor A Jones, Dolfor, y Drenewydd.)

Nwyddau Turner yn cael eu harddangos
mewn sioe amaethyddol yn Llanbedr Pont Steffan, 1911.

Er enghraifft, yn 1781 prynodd John Vaughan, Gelli-aur, wagen a dwy aradr o weithdy Maund yn Aberhonddu. Cwmni arall a ffynnai yn y dref yn ystod hanner cyntaf y bedwaredd ganrif ar bymtheg oedd Hodges a Wright ac ar wahân i'r efail, roedd gan y cwmni ffowndri yn Ship Street. Mae'n bosibl mai ar y safle hwn y sefydlodd Nott y busnes flynyddoedd yn ddiweddarach. Roedd Hodges a Wright yn arbenigo mewn gwneud peiriannau amaethyddol ac mewn cyfarfod o Gymdeithas Amaethyddol Cylch Llanymddyfri yn 1844 arddangoswyd nifer o beiriannau o waith y cwmni. Parhaodd y cwmni i fod yn un o brif wneuthurwyr peiriannau y dref hyd at chwedegau cynnar y bedwaredd ganrif ar bymtheg. Ymysg mân wneuthurwyr eraill tref Aberhonddu gellir cyfeirio at Thomas Williams, Llan-faes a symudodd i Bell Yard erbyn 1858-9. Gwneuthurwr erydr ydoedd yntau ac efallai y bu iddo ragflaenu cwmni Nott ar safle Bell Yard yn ogystal. Erbyn 1852 arbenigai cwmni R J Reaves a'i Feibion mewn gwneuthur rhannau erydr, ac yn ddiweddarach, yn 1901, nodir enw David Thomas, Orchard Street, Llan-faes, Aberhonddu fel gwneuthurwr peiriannau amaethyddol. Ni ddylid anghofio ychwaith am wneuthurwyr offer llaw; canolbwyntiai George Rowley, Llan-faes (yn y flwyddyn 1884) ar gynhyrchu rhofiau a phob math ar offer llaw.

Dwy ganolfan drefol a masnachol bwysig arall yn y Canolbarth wrth gwrs oedd trefi marchnad y Drenewydd a'r Trallwng, ond araf fu'r ymateb i'r

Lluniau mewnol o ffowndri Cambrian, y Drenewydd, 1980.

45

diwydiant yn y ddwy dref o'i gymharu â'r brwdfrydedd a gafwyd yn nhref Aberhonddu. Bu'n rhaid aros hyd at ail hanner y bedwaredd ganrif ar bymtheg cyn y gwelwyd datblygiad masnachol yn y diwydiant cynhyrchu peiriannau fferm. Yn y Drenewydd, dichon mai'r pwysicaf oedd W Turner, a oedd hefyd yn ddyfeisydd. Daeth cwmni Turner i fri yn ystod yr wythdegau ac yn y flwyddyn 1885 cofnodir bod W Turner wedi gwneud cais i gofrestru *patent* ei gafnau a chlwydi bwydo anifeiliaid. Ceir tystiolaeth hefyd fod cwmni Turner yn gwneud offer a pheiriannau megis erydr, driliau rwdins a rholeri, ac erbyn 1895 roedd y *Turner Brothers,* Ffowndri'r Cambrian, y Drenewydd wedi sicrhau marchnad ychwanegol wrth gyflenwi anghenion peiriannol i'r diwydiant llechi. Estyniad pellach oedd cyflenwi anghenion bwrdeisiol megis rheiliau, clwydi, cafnau o haearn bwrw ac yn y blaen, i'w gosod yn ôl gofynion lleol y dref. Ond yn 1926, wedi dyddiau'r brodyr Turner, cymerodd E Davies, *Atlas Foundry*, Croesoswallt awenau y ffowndri, gan ganolbwyntio ar gynhyrchu gofynion bwrdeisiol a chynhyrchu darnau i beiriannau y diwydiant llechi. Cymerwyd patrymau cafnau a chlwydi bwydo anifeiliaid gan gwmni Corbett o Wellington.

Deil cylch y Drenewydd yn bwysig o safbwynt gwneuthuriad peiriannau amaethyddol. Ar Heol Ceri lleolir cwmni David Thomas Cyf. sydd ar hyn o bryd yn arbenigo mewn peiriannau gwthio polion ffensio a thanceri cludo carthion.

Ar wahân i rai unigolion fel Edward Evans, Glanbrogan ger y Trallwng a arbenigai mewn gwneuthur erydr ar droad y bedwaredd ganrif ar bymtheg, cyffelyb fu hanes y diwydiant yn y dref hon hefyd. Ymddengys mai un o'r prif wneuthurwyr yn ystod canol y ganrif ddiwethaf oedd John Morris, Mill Lane, perchennog y ffowndri yno. Yn ogystal â chyflenwi anghenion cyffredinol canolbwyntiai hefyd ar beiriannau fferm. Cystadleuydd arall iddo yn ystod yr un cyfnod oedd Samuel Owens, Canal Road, a arbenigai mewn gwaith cyffelyb. Yn ychwanegol at y ddau uchod gellir enwi David Rowlands, Back Church Street; David Edwards, Cross Church Street ac Edward Jones, Newtown Road. Mae'n ddiddorol sylwi bod David Edwards, erbyn y flwyddyn 1895, wedi symud o Cross Church Street i safle'r ffowndri yn Crown Street a'i fod erbyn hynny yn cyfuno gweithgarwch cyffredinol a chyflenwi cynnyrch i'r diwydiant amaethyddol.

Ni ddylid anghofio ychwaith am bwysigrwydd tref Llanidloes a oedd eto yn ganolfan bwysig ac a fu'n gefn i nifer o ddiwydiannau lleol. Cysylltir enw ffowndri John Mills â'r dref, a daeth y cwmni i gryn enwogrwydd fel un o wneuthurwyr a chyflenwyr pwysicaf y diwydiant rheilffyrdd yn y Canolbarth. Ond yr unig wneuthurwr a ganolbwyntiai ar beiriannau amaethyddol yn y dref oedd William Thomas, Short Bridge Street. Yn 1859 nodir ei fod yn arbenigwr ar wneud offer fferm gan gynnwys peiriannau dyrnu, torri gwellt a nithio. Ymhellach i'r gogledd i gyfeiriad Llanfair Caereinion dylid nodi cyfraniad Evan Thomas, Meifod — gof a gwneuthurwr erydr a pheiriannau eraill. Ceir nifer o enghreifftiau o'i waith ar hyd a lled ffermydd y gymdogaeth. Ond un o'r teuluoedd mwyaf diddorol

THOMAS JEHU,
CARRIAGE BUILDER & PAINTER,
WHEELWRIGHT, UNDERTAKER, BLACKSMITH,
SAW MILL OWNER;
AGRICULTURAL IMPLEMENT DEPOT;
DEALER IN BRITISH AND FOREIGN TIMBER;
Agent for Artificial Manure;
LLANFAIR, near WELSHPOOL.

Hysbyseb Thomas Jehu, Llanfair Caereinion, 1874.

o safbwynt hanes crefftau lleol yn ystod y bedwaredd ganrif ar bymtheg oedd teulu'r Jehu o Lanfair Caereinion. Yng *Nghyfarwyddiadur Slater,* 1858-9 cyfeirir at bedwar aelod o'r teulu hwn yn ogystal â manylion am eu galwedigaethau; Morris Jehu, gof; David Jehu, masnachwr; Thomas Jehu, melinydd a David Jehu, saer troliau. Erbyn 1874 ymddengys fod Thomas Jehu (un o'r meibion) yn saer coed, gof, perchennog melin lifio coed ac yn fasnachwr cyffredinol. Mae'n ddiddorol sylwi ar amrywiaethau galwedigaethol teulu'r Jehu am y blynyddoedd dilynol hefyd. Yn 1889-90 ceir Thomas Jehu, gof a gwneuthurwr peiriannau amaethyddol a John Jehu, melinydd yn felin Dôl-goch. Ceir cofnod tebyg am Thomas Jehu yn 1901 ond erbyn 1911-12 cyfeirir at T ac M Jehu fel seiri troliau gyda J Jehu a'i Feibion yn fasnachwr ŷd a melinyddion. Parhaodd T ac M Jehu yn yr un alwedigaeth hyd at 1915, eithr erbyn 1918 roedd y teulu wedi troi i fod yn asiantwyr peiriannau amaethyddol yn hytrach na bod yn wneuthurwyr. Ychwanegiad pwysig yng *Nghyfarwyddiadur* 1918 yw'r cofnod *'Jehu Garage, Llanfair'* sy'n dynodi addasiad i ofynion y cyfnod. Parhaodd T ac M Jehu i fod yn asiantwyr a gofaint am nifer helaeth o flynyddoedd ar ôl hyn. Nodir enwau T ac M Jehu fel gofaint, y Stryd Fawr, Llanfair Caereinion yng *Nghyfarwyddiadur* 1950-51 ac fe geir enghraifft arbennig o ddril rwdins, gwaith Thomas Jehu, Llanfair, yng nghasgliad amaethyddol Amgueddfa Werin Cymru.

 Ar wahân i'r prif wneuthurwyr a nodwyd uchod cafwyd cyfraniad helaeth gan nifer o unigolion a gofaint lleol i lwyddiant gwneuthuriad offer a pheiriannau amaethyddol. Yn eu plith gellir nodi enw Tom Lucas, Cwmteuddwr a oedd yn wneuthurwr erydr ac ogedi pren, a cheir enghreifftiau o'i waith (sy'n ddyddio tua 1860) yng nghasgliad yr Amgueddfa Werin. Gwneuthurwr erydr go nodedig arall oedd David James, Tal-y-bont ar Wysg, ac fe'i dilynwyd yn ei grefft gan y mab, John James (1860-1937). Gwnaethpwyd darnau haearn bwrw yr erydr hyn gan ffowndrïau tref Aberhonddu. Crefftwr blaenllaw arall wrth gwrs oedd Robert Phillips, gof Pen-pont, Brycheiniog ac yn ddiweddarach daeth gof arall, sef Arthur Pritchard o'r Eglwys Newydd, Maesyfed, i amlygrwydd fel gwneuthurwr erydr.

Ond dylid cydnabod cyfraniad y gwneuthurwyr a fedrodd gyflenwi amrywiol ofynion cymdeithas wledig y ganrif ddiwethaf hefyd. Un o'r rheiny oedd Robert Williams a'i Fab o'r Gelli. Yn y dechrau, canolbwyntiai'r cwmni ar gynhyrchu offer llaw, ond o 1880 ymlaen troes y cwmni i wneud offer i'r llaethdy yn ogystal. Ar droad yr ugeinfed ganrif cefnodd y cwmni ar y gweithgarwch uchod gan droi'n werthwyr nwyddau haearn ac yn fasnachwyr coed. Gŵr arall a sefydlodd fusnes yn y Gelli oedd William Giles, ac yn 1884 cyfeirir ato fel masnachwr nwyddau haearn a hadau a gwneuthurwr peiriannau amaethyddol. Busnes cyffelyb, ond ar raddfa lai oedd gan Samuel Tomley (1858-9) a sefydlodd weithdy ym mhentref Ceri, ger y Drenewydd. Yn ardal Llanfair-ym-Muallt y gweithiai Ezra Price a oedd yn beiriannydd a gwneuthurwr offer amaethyddol, a rhwng 1884 ac 1906 ymddengys iddo symud o West Street i Heol Aberhonddu yn y dref. Ond er bod llawer o fân gwmnïau yn hysbysebu eu bod yn wneuthurwyr, mae'n amlwg mai peirianwyr oeddynt yn bennaf. Enghraifft o hyn yw hanes cwmni Urwick Davies, Llyswen sy'n nodi ei fod yn wneuthurwr yn y flwyddyn 1906. Nid yw'n syndod o gwbl i weld bod y cwmni wedi troi i fod yn beirianwyr amaethyddol erbyn 1923 (yn ôl *Cyfarwyddiadur Kelly*) sy'n adlewyrchu llawer o'r newid a fu yn y diwydiant ar ôl y Rhyfel Byd Cyntaf.

Ffowndri bwysig arall oedd eiddo J B Davies, sef y *Rock Foundry*, Machynlleth a ffynnai yn ystod ail hanner y bedwaredd ganrif ar bymtheg. Canolbwyntiai'r ffowndri yn bennaf ar ateb gofynion y diwydiannau cyfagos, sef y gweithfeydd mwyn a'r chwareli llechi. Ond, serch hynny, roedd y ffowndri yn enwog am gynhyrchu olwynion dŵr at ddibenion amaethyddol yn ogystal. Cynhyrchai'r ffowndri amrywiaeth o beiriannau sgubor hefyd. Dichon mai un o'r cynhyrchion pwysicaf a werthwyd ym Machynlleth oedd cynnyrch ffowndri'r Glaslyn, Porthmadog, sef peiriant difodi rhedyn a ddyfeisiwyd gan James Pugh, Gartheiniog, Aberangell. Canolfan John Evans a'i Feibion oedd un o brif ddosbarthwyr y peiriant hwn a enillodd fedal arian Cymdeithas Amaethyddol Frenhinol Cymru yn 1933.

I'r de o Fachynlleth bu tref Aberystwyth yn ganolog i ddiwallu anghenion morwrol, diwydiannol ac amaethyddol yn yr ardal. Dichon fod y gweithgarwch dechreuol, fel yn hanes trefi Caerfyrddin, Llanelli, ac Aberteifi yn y de-orllewin, wedi'i gyfeirio'n bennaf i wasanaethu gofynion seiri llongau, ond buan iawn y datblygodd canolfannau peiriannol i wasanaethu amrywiol alwadau y cymunedau cyfagos. Ymddengys mai'r ddau fusnes cynharaf a sefydlwyd yn nhref Aberystwyth i gynhyrchu amrywiol nwyddau haearn o bob math oedd eiddo William Moore (1830) yn Stryd Fawr y dref, a John Williams, gwneuthurwr peiriannau amaethyddol, yn ei ffowndri yn Northgate Street tua 1850. Ceir enghreifftiau hefyd o olwynion dŵr o waith ffowndri John Williams ar ffermydd yng nghylch Bow Street. Rhwng 1840 ac 1850 roedd John Ellis eisoes wedi sefydlu busnes, sef

Stondin John Evans a'i Feibion yn arddangos peiriant difodi rhedyn
Pugh Gartheiniog a enillodd fedal arian
Cymdeithas Amaethyddol Frenhinol Cymru, 1933.

Rholer ceffyl o waith ffowndri'r Eagle, Aberystwyth
ar fferm Plas Teg, Llwyngwril, 1987.

The Eagle Foundry Company yn Northgate. Canolbwyntiai Ellis ar wneuthur darnau i beiriannau y diwydiant llechi yn bennaf, ond troes ei law hefyd at wneud olwynion dŵr ac offer amaethyddol. Brodor o Ddolgellau oedd John Ellis a bu ei feibion yn cynorthwyo gyda'r gwaith ffowndri. Bu farw un o'r meibion, Griffith Ellis, yn 1875 a goruchwyliwyd y gwaith am gyfnod gan ei weddw ef a'i meibion. Daeth gweithgarwch y ffowndri i ben oddeutu 1913. Ffowndri bwysig arall yn y dref a gynhyrchai offer amaethyddol yn ogystal â pheiriannau cyffredinol oedd y *Cambrian Iron Works* yn Lewis Terrace. Symudodd yn ddiweddarach i Heol Alexandra. Sefydlwyd y gwaith gan George Green tua 1850 a pharhaodd gweithgarwch y cwmni hyd at flynyddoedd cynnar y ganrif hon. Brodor o swydd Stafford oedd Green ond bu ganddo gysylltiadau agos â chwmnïau diwydiannol, a hynny fu'n bennaf gyfrifol am lwyddiant y fenter.

Yn 1874 sefydlodd James Metcalfe ffowndri'r Rheidiol, sef *Williams & Metcalfe, Smithfield*. Ymhen rhai blynyddoedd newidiwyd yr enw i *Williams & Jenkins, Rheidol Foundry*. Ceir digon o dystiolaeth yn y cymunedau o gwmpas Aberystwyth fod y ffowndrïau uchod wedi cyfrannu'n helaeth tuag at ddatblygiad peiriannol y byd amaethyddol, a gwelir olion enwau'r ffowndrïau ar olwynion dŵr ffermydd a ffatrïoedd gwlân a pheiriannau amaethyddol o bob math.

Ni ellir yn hawdd drafod hanes peirianwyr gogledd Ceredigion heb gyfeirio at gwmni E Davies, Aberaeron a arbenigai mewn cynhyrchu amrywiaeth o offer neu arfau llaw gan gynnwys crymanau a rhawiau o bob math. Brodor o Giliau Aeron oedd y gof gwreiddiol, ac fe sefydlodd fenter yno tua 1800 gan ddibynnu ar gyflenwadau o haearn a fewnforiwyd o Fryste drwy borthladd Aberaeron. Cludid y deunydd crai o Aberaeron i Giliau Aeron ar geirt. Ailsefydlwyd y gweithdy yng nghanol Aberaeron tua 1850 a phrofwyd fod y ganolfan yno yn llawer hwylusach o safbwynt trafnidiaeth. Gyda'r lleihad yn y galw am grymanau medi canolbwyntiodd teulu'r Davies ar wneuthur rhawiau — a buan y daeth 'Rhaw Aberaeron' fel ei rhagflaenydd, sef y sicl a'r cryman medi, yn enwog drwy Dde-orllewin Cymru. Daeth galw mawr am 'Raw Aberaeron' o du'r cynghorau lleol oherwydd addasrwydd y rhaw gyda'i choes hir-gam at waith cynnal a chadw'r ffyrdd. Roedd yn y gweithdy forthwyl arbennig a weithid gan olwyn ddŵr i wasgu tafod y rhaw i siâp arbennig. Parhawyd i gynhyrchu arfau yno hyd at bedwardegau cynnar yr ugeinfed ganrif.

Hysbyseb David Davies, Aberaeron, 1900.

Gogledd Cymru

Darlun cyffelyb i Dde a Chanolbarth Cymru a gafwyd yng Ngogledd Cymru yn ystod y bedwaredd ganrif ar bymtheg, gydag amryw o ffowndrïau a arbenigai mewn cynhyrchu defnyddiau morwrol a diwydiannol yn ateb gofynion y gymdeithas amaethyddol hefyd. Enghraifft o hynny oedd cynnyrch ffowndri Charles Pickering, Pwllheli. Mae'n debyg mai brodor o Sir Fflint ydoedd Pickering, ond treuliodd rai blynyddoedd yn Oporto, Portiwgal, yn dilyn gyrfa fel peiriannydd. Ymddengys mai yn y wlad honno y cyfarfu â'i ddarpar wraig a oedd yno ar ei gwyliau yng nghwmni merch Love Jones Parry, Castell Madryn. Nid oes sicrwydd o'r flwyddyn y priododd Charles Pickering, na'r union flwyddyn yr ymsefydlodd ym Mhwllheli, ond fe geir cyfeiriad pendant ei fod yn y dref yng Nghyfarwyddiadur Cassey (1876), lle'i disgrifir fel *'agricultural implement maker'* yn ffowndri Victoria, Lôn Caernarfon. Ei ragflaenydd yn y ffowndri honno oedd Robert Jones a olynodd Robert Griffith ar ôl ei farwolaeth yn y flwyddyn 1864. Yn rhifyn 25 Gorffennaf, 1873 o'r *Herald* adroddir bod Robert Jones wedi rhoi'r gorau i'w alwedigaeth yn ffowndri Victoria a dichon fod Charles Pickering wedi ymsefydlu yno yn fuan wedyn. Fel llawer ffowndri gyffelyb yng Nghymru roedd galw mawr am waith cyffredinol, ac ym Mhwllheli, oherwydd pwysigrwydd y diwydiant adeiladu llongau, roedd galw cyson am ddefnyddiau haearn a phres o'r ffowndrïau. Ar wahân i hynny wrth gwrs, ceid llawer o alwadau am waith i'r gymdeithas amaethyddol wledig o gwmpas Pwllheli ac y mae'r enghreifftiau a groniclwyd o'r peiriant malu eithin yn brawf o hyn. Lleolid ffowndri'r Victoria wrth odre Lôn Caernarfon, sef wrth gyffordd Pentrepoeth (North Street), Lôn Caernarfon a'r Traeth (Sand Street). Yn ôl cofnodion Cyfrifiad 1881 roedd Charles Pickering yn 48 mlwydd oed a bu'n gweithio ym Mhwllheli hyd at ei farwolaeth yn y flwyddyn 1899 yn ŵr trigain a chwe blwydd oed.

Cwmni pwysig arall, yn nhref Caernarfon y tro hwn, oedd E Davies a'i Feibion, Crown Street a Mill Lane ac fe roddwyd clod mawr i'r cwmni am yr amrywiaeth o erydr a gynhyrchid yno. Yn ddechreuol, gof cyffredinol oedd Edward Davies ac fe leolid ei weithdy gwreiddiol y tu ôl i westy'r *Royal*. Symudodd wedyn i Mill Lane ac fe ddatblygodd ei fab, Richard Davies, yn arbenigwr ar gynhyrchu offer amaethyddol. Prynodd Richard Davies dir yn Crown Street a chodi gweithdy yno, ac fe ddatblygwyd y gwaith gan gynnwys adeiladu a chyweirio troliau. Yn 1940 bu farw Richard Davies yn 91 oed. Er mai canolbwyntio ar waith i'r chwareli llechi a wnâi Charles H Williams, ffowndri'r Glaslyn, Porthmadog cynhyrchwyd nifer amrywiol o beiriannau fferm gan y cwmni, a pharhaodd y ffowndri i baratoi *'castings and forgings for agricultural machines'* hyd at bumdegau'r ganrif hon. Soniwyd am beiriant difodi rhedyn James Pugh ac fe'i cynhyrchwyd a'i werthu o dan yr enw *Glaslyn Bracken Cutter*.

Hysbyseb ffowndri Porthmadog, 1858.

Yn nes i'r Gogledd-ddwyrain gellir crybwyll gweithgarwch ffowndri John a Richard Thomas, Llanrwst a arbenigai mewn gwneuthur erydr, ymysg peiriannau eraill, a hefyd ffowndri Davies Hughes Williams, Trefriw a oedd yn ffynnu tua diwedd y ganrif ddiwethaf. Ar wahân i'r ffowndrïau hyn gellir sôn am y gwneuthurwyr a arbenigai mewn rhai peiriannau yn unig. Enghraifft o hyn ydyw Owen Morris ac Evan Williams, Llannerch-y-medd, Ynys Môn a ganolbwyntiai ar wneuthur peiriannau nithio yng nghanol y bedwaredd ganrif ar bymtheg. Ar Ynys Môn ychydig o ffowndrïau a arbenigai mewn gwaith amaethyddol, er, fe leolir gweithdai yn Amlwch, Caergybi a Biwmares, ond canolbwyntiai y rhain ar waith morwrol ac anghenion trefol. Ceid gofaint enwog eu medrusrwydd am addasu a chynllunio erydr megis Owen Lazarus, Llanbedr-goch ac Edward Owen, Sling, Llangoed, Biwmares ond prin oedd y gweithdai a gynhyrchai beiriannau. Dichon mai'r unig gwmni o bwys yn ystod ail hanner y ganrif ddiwethaf oedd Gray & Co, Buckley Square, Llangefni a oedd yn wneuthurwyr ac yn ddosbarthwyr peiriannau amaethyddol. Er bod J Cowlishaw, Llangefni, yn wythdegau'r bedwaredd ganrif ar bymtheg yn rhoi'r argraff ar y peiriannau a werthai mai ei waith ef oeddynt, archebu nifer o beiriannau oddi wrth gwmni Philip Pierce, Wexford, Iwerddon a wnâi mewn gwirionedd gan ddod i drefniant fod Philip Pierce yn rhoi'r enw *Cowlishaw* ar y peiriannau.

I'r dwyrain o Fôn gellir cyfeirio hefyd at ymdrechion John Jones, gwneuthurwr peiriannau amaethyddol yn Abergele a ffynnai rywbryd rhwng 1890 ac 1898. Ond yn ystod y ganrif ddiwethaf erys nifer o wneuthurwyr pwysig yn rhannau dwyreiniol Gogledd Cymru yn enwedig

Peiriant cywasgu gwair Wynne Edwards, Dinbych, 1894.

'Drag pum daint' — cultivator *o waith ffowndri Wynne Edwards, Dinbych.*

yng nghyffiniau Dinbych. Un o'r rhain oedd T A Wynne Edwards a'i ffowndri a leolwyd yn Factory Street, Dinbych. Roedd Wynne Edwards yn ddyfeisydd ac yn wneuthurwr peiriannau ac fe ddangosodd nifer ohonynt yn y sioeau amaethyddol yn Lloegr. Ar wahân i gynhyrchu peiriannau i drin y tir canolbwyntiodd ar ddatblygu gwasg arbennig i lapio gwair ac arddangoswyd hon yn Sioe Caergrawnt yn 1894. Roedd galw ar ffowndri Edwards i gynhyrchu darnau o erydr ar gyfer gofaint lleol hefyd, fel yn achos ffowndri E Thomas, Dinbych, lle ceir enghreifftiau o erydr ·gydag arysgrifau'r ffowndrïau arnynt. Yn nghanol y ganrif ddiwethaf roedd Thomas Roberts, Beacon Hill, Dinbych yn enwog fel saer melinau a gwneuthurwr peiriannau amaethyddol ac yn ddiweddarach gellir cyfeirio at Edward Davies, Brook House, Dinbych fel un o brif wneuthurwyr darnau erydr Gogledd Cymru.

Serch hynny, erys dau gwmni arall yng Ngogledd-ddwyrain Cymru a gyfrannodd yn helaeth tuag at y fasnach amaethyddol yn ystod y bedwaredd ganrif ar bymtheg.

Yn gyntaf, dylid nodi pwysigrwydd cwmni John Williams a'i Fab, *Phoenix Works*, Rhuddlan. Dechreuodd John E Williams ei yrfa fel gwerthwr nwyddau haearn yn y Rhyl, ond tua 1860 prynodd ffowndri Rhuddlan gan ddechrau cynhyrchu peiriannau amaethyddol o bob math a amrywiai o beiriannau ysgubor, trin y tir a medi. Rhwng 1872 ac 1884 bu'r cwmni yn brysur yn arddangos mewn sioeau ledled Cymru, yr Alban a Lloegr. Erbyn y flwyddyn 1895 daeth y mab, William Bridge Williams, yn ôl ar ôl cwrs helaeth o hyfforddiant mewn cyfnod pan oedd cyfyngiadau ariannol yn gwasgu ar fuddiannau'r cwmni. Ond yn fuan aeth y cwmni i drybini a gwnaethpwyd casgliad cyhoeddus yng Ngogledd Cymru er mwyn ceisio'i achub. Ym mis Ionawr 1899 bu John Williams farw yn hen ŵr 84 mlwydd oed. Er gwaethaf y trybini ariannol parhaodd y cwmni i gynhyrchu, ond yn 1908 cymerodd Francis Corbett o Wellington, Sir Amwythig awenau'r cwmni. Penodwyd Francis Corbett yn gadeirydd a phrif reolwr cwmni *Messrs. Corbett, Williams & Son Limited, Phoenix Iron Works, Rhuddlan*. Erbyn hyn torrodd William Bridge Williams ei gysylltiad â'r cwmni a bu yntau farw ym mis Ebrill 1912 wedi cyfnod o salwch. Parhaodd y cwmni newydd i gynhyrchu amrywiol beiriannau ac ychwanegwyd at restr peiriannau Williams a oedd bellach yn hen ffasiwn. Aethpwyd ati i gynhyrchu 'injans' olew o bob math, ond ysywaeth, caewyd y ffowndri ym mis Tachwedd 1923 ac fe brynwyd yr adeilad i'w ddefnyddio i wneud gwaith ysgafn. Daeth pennod bwysig yn hanes un o gwmnïau pwysicaf Cymru i ben; cwmni a fu'n un o brif gynhyrchwyr peiriannau amaethyddol ail hanner y bedwaredd ganrif ar bymtheg. Cymerwyd patrymau driliau hau rwdins y *New Era* gan gwmni y Brodyr Powell a Whitaker, Wrecsam i'w cynhyrchu yno.

Yn anffodus, hanes cyffelyb sydd i gwmni pwysig arall o Ogledd-ddwyrain Cymru yn ystod yr un cyfnod, sef cwmni'r Brodyr Powell a Whitaker, *Cambrian Works*, Wrecsam. Sefydlwyd y cwmni hwn gan John E Powell a Robert J Powell, meibion Evan Powell a oedd eisoes yn werthwyr

JOHN WILLIAMS,

Phœnix Iron Works,

RHUDDLAN, Near RHYL,

NORTH WALES.

PRICE LIST OF

MOWING & REAPING

MACHINES,

For the Season 1875.

These Machines have, in various important Agricultural Centres
in the United Kingdom, been awarded

GOLD & SILVER MEDALS & FIRST PRIZES,

In Competition with those of the leading Makers.

Wynebddalen catalog peiriannau cwmni
John Williams, Rhuddlan, 1875.

Llun o beiriannau ffowndri'r Phoenix, Rhuddlan.

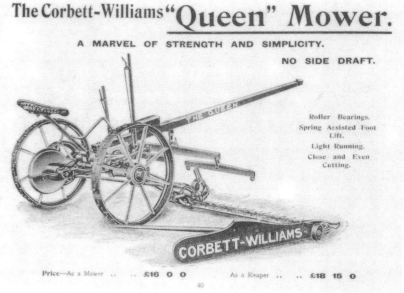

The Corbett-Williams "Queen" Mower.

A MARVEL OF STRENGTH AND SIMPLICITY.

NO SIDE DRAFT.

Roller Bearings.
Spring Assisted Foot Lift.
Light Running.
Close and Even Cutting.

CORBETT-WILLIAMS

Price—As a Mower .. .. £16 0 0   As a Reaper £18 15 0

Tudalen o gatalog Corbett-Williams, Rhuddlan.

Tudalen o gatalog Corbett-Williams, Rhuddlan
yn egluro manylion am y dril rwdins New Era.

nwyddau haearn yn Town Hill, Wrecsam. Erbyn 1879 roedd John Whitaker (a fu ar un adeg yn aelod o gwmni John Williams a'i Fab, Rhuddlan) wedi ymuno â'r Brodyr Powell. Roedd hwn yn gyfnod euraid yn hanes y cwmni a chynhyrchwyd nifer o wobrau am y peiriant tynnu tatws mewn sioeau amaethyddol ledled Prydain. Yn ystod y Rhyfel Byd Cyntaf cwtogwyd ar y gweithgareddau masnachol, ond ar ôl y Rhyfel ailgydiwyd yn y farchnad amaethyddol ac fe ganolbwyntiwyd, ymysg pethau eraill, ar gynhyrchu 'injans' olew. Ond yr un fu hanes y cwmni hwn â chwmni Corbett-Williams, oherwydd yn 1927 meddiannwyd y safle gan gwmni Rogers & Jackson a ddaeth yn rhan o gwmni grŵp Rubery Owen, ac fe ddatblygwyd gweithgarwch hollol wahanol i'r peiriannau a fu'n boblogaidd gan yr hen gwmni. Unwaith yn rhagor trosglwyddwyd yr hawl i gynhyrchu driliau rwdins y *New Era* i gwmni S Corbett, Park Street, Wellington, Sir Amwythig. Erbyn 1930 roedd cwmni lleol o Wrecsam, sef Cudworth a Johnson hefyd wedi sicrhau'r hawl i farchnata 'injans' olew Powell a chafwyd cartref newydd i wneuthuriad peiriant codi tatws Powell & Whitaker gan gwmni Harrison McGregor, Albion Works, Leigh, swydd Gaerhirfryn. Dylid nodi hefyd i gwmni Powell a Whitaker fentro i faes hollol wahanol i'r cynnyrch amaethyddol yn ystod dauddegau'r ganrif hon. Mae'n debyg i'r cwmni benderfynu datblygu beic modur gydag 'injan' *Blackburn*

POWELL BROTHERS
AND WHITAKER,
Cambrian Iron Works,
WREXHAM.

Manufacturers of
'Gold Medal' 'Prince of Wales'
Mowing & Reaping Machines,
Chaffcutters,
Single & double action,
Root Pulpers & Slices,
Horse-power works, and

Royal Agricultural Society of England's
FIRST PRIZE
POTATO DIGGER.

General Engineers, Iron & Brass Founders

Cambrian Iron Works,
WREXHAM.

Hysbyseb cwmni Powell Brothers & Whitaker, Wrecsam, 1888.

A PROFITABLE ENGINE AGENCY.

Powell Oil Engines.

POWELL Petrol Paraffin Oil Engines have been specially designed to meet the needs of your Trade.

They are guaranteed by us to give your customers absolute satisfaction in every possible way, and to be economical, durable, and thoroughly reliable.

Neither you nor your customer will have any trouble with them; they invariably start work with the first turn of the handle, and keep on running until the fuel tap is turned off.

We are quite sure that you will find that it will pay you to push this line, and suggest that you send us your orders for Engines at once in order to make sure of deliveries.

If you have not already got our Agency for Engines it will pay you to write us at once for particulars. Simply send a postcard To-day, asking for catalogue No. EA.21.

Powell Brothers, Ltd., Wrexham.

Hysbyseb 'injan' olew cwmni Powell Brothers
& Whitaker, Wrecsam, 1921.

ynddo yn ystod y dauddegau, oherwydd yr arbrofi a fu yn y meysydd peiriannol. Hysbysebwyd y beic yn 1925 fel peiriant *'capable of a hundred miles per gallon at forty five miles per hour'*.

Cysylltir Caergwrle â'r diwydiant cynhyrchu offer llaw yn hytrach na pheiriannau amaethyddol. Cynhaliwyd y diwydiant hwn yn bennaf gan ddau deulu cwbl annibynnol ar ei gilydd a arbenigai mewn gwneuthur arfau llaw. Y cyntaf ohonynt oedd teulu'r Davies — brodorion o'r ardal. Cyfeirir at Edward Davies yn 1851 fel gof wrth ei alwedigaeth a drigai yng nghyffiniau dwyreiniol y pentref, ger y *Packhorse Bridge*. Ddeng mlynedd yn ddiweddarach roedd wedi symud oddi yno i'r Stryd Isaf gyferbyn â lleoliad tafarn y *Derby*. Erbyn hyn, disgrifiai Edward Davies ei hun fel *'tool maker'* ac fe ymddengys bod ei frawd hefyd wedi arbenigo yn yr un maes ac yn disgrifio ei alwedigaeth fel *'Edged Tool Maker'*. Canfyddir bod nifer o aelodau'r teulu wedi bod yn flaenllaw yn y busnes ac erbyn y flwyddyn 1886 ffurfiwyd cwmni yn dwyn yr enw *The Old Caergwrle Forge Co*. Ond byr fu cyfnod teulu'r Davies fel cynhyrchwyr arfau llaw ac fe ymddengys iddynt fethu â chystadlu â'r newidiadau a fu yn y meysydd cynhyrchu yn ystod degawd olaf y bedwaredd ganrif ar bymtheg. Bu'n rhaid iddynt nid yn unig gystadlu â chwmnïau o Loegr, ond â chwmni lleol arall yng Nghaergwrle, sef cwmni Griffiths. Prif sefydlydd y cwmni hwnnw oedd gŵr o'r enw Jonathan Griffiths a oedd yn frodor o ardal Rhiwabon ac fe ymddengys iddo ef a'i deulu ymsefydlu yn yr ardal tua 1866. Erbyn 1886 disgrifir busnes teulu'r Griffiths fel y *'Caergwrle Co Ltd, manufacturers of Spades, Shovels, Edged Tools'*, ond dair blynedd yn ddiweddarach cofnodir y canlynol: *'J & P Griffiths, Edged Tool Makers, Spade and Shovel makers and manufacturers of Steel forgings, Alun Tool Works Caergwrle'*. Canfyddir ymhellach, yn yr hysbyseb a gyhoeddwyd gan y cwmni yn 1902, fod y cwmni hefyd yn cynhyrchu nifer o nwyddau ychwanegol gan gynnwys darnau erydr a darnau arbennig ar gyfer diwydiant. Newidiwyd perchnogaeth gwaith *Gwalia Forge* ar ddechrau'r Rhyfel Byd Cyntaf ac fe brynwyd y gwaith gan ŵr o'r enw Lee. Troes at gynhyrchu gwaith ffowndri cyffredinol gan ganolbwyntio ar nwyddau a darnau haearn at ddibenion y diwydiant glo.

Mae cryn debygrwydd felly rhwng patrwm cynhyrchu gwneuthurwyr peiriannau amaethyddol Gogledd Cymru a'r darlun a gafwyd yn y De, gyda'r rhan fwyaf o'r hen gwmnïau, naill ai wedi troi'n fethdalwyr neu wedi methu â chystadlu â'r mewnlifiad o beiriannau o gwmnïau masnachol Lloegr yn ogystal â'r gystadleuaeth o wledydd tramor. Yn ystod y blynyddoedd a ddilynodd y Rhyfel Byd Cyntaf bu cyfnod y dirwasgiad cyffredinol hefyd yn un o'r rhesymau penodol dros ddiflaniad y mwyafrif helaeth o'r cwmnïau teuluol, yn ogystal â'r newid a ddatblygodd ym maes technolegol cynhyrchu nwyddau a pheiriannau. Gwelwyd ychydig o adfywiad yn y De gyda dyfodiad ac addasiad rhai cwmnïau i ateb gofynion modern, ac yn wir adlewyrchwyd hynny yng Ngogledd-ddwyrain Cymru yn ystod y pedwardegau cynnar pan sefydlwyd cwmni *Jones Balers* gyda'i bencadlys gweinyddol wedi ei leoli yn Esmor House, Rhosesmor ger yr Wyddgrug.

CUDWORTH & JOHNSON

(Late CHADWICK),

Engineers & Millwrights

Iron and Brass Founders,

EAGLE FOUNDRY,

TUTTLE STREET, WREXHAM.

CLAY MILLS, WATER WHEELS,
PITHEAD PULLEYS, TURN TABLES,
WROUGHT & CAST GIRDERS
BOILERS AND BOILER MOUNTINGS,
LOCOMOTIVE and PORTABLE ENGINES Supplied
and Repaired.

HORSE MACHINES,
AGRICULTURAL IMPLEMENTS, &c.
COLLIERY PLANT,
And every description of WROUGHT and CAST WORK.
WEIGHING MACHINES REPAIRED.

Churches, Chapels, Conservatories, Schools, Greenhouses,
Public Buildinge, &c. Heated by Hot Water,
FIXED COMPLETE IN ANY PART OF THE COUNTRY.

FORGING AND SMITH WORK
AT MODERATE CHARGES.

DEALERS IN SCRAP IRON AND BRASS.

Hysbyseb cwmni Cudworth a Johnson, Wrecsam, 1886.

Hysbyseb Gwalia Forge, 1902.

Contractwyr amaethyddol oedd y Brodyr Jones ar y cychwyn, gyda'u tri dyrnwr ac un byrnwr. Dau gwmni yn unig a oedd yn cynhyrchu byrnwyr gwellt ym Mhrydain yn 1942, ac yr oedd rhaid aros o leiaf bedair i bum mlynedd cyn y gellid cyflenwi'r archeb. Felly, wedi eu profiadau personol fel contractwyr gwelodd y Brodyr Jones fod angen llenwi'r bwlch hwn. Aethant ati i geisio adeiladu peiriant cyffelyb i'r byrnwr a oedd ganddynt, a hynny o amrywiol ddefnyddiau crai; cwblhawyd yr ymdrech gyntaf yn 1942. Roedd problemau aruthrol oherwydd prinder defnyddiau crai yn ystod cyfnod argyfyngus yr Ail Ryfel Byd. Defnyddiwyd pob math o fetel sgrap yn ogystal ag addasu darnau o hen beiriannau eraill. Sylweddolodd ffermwyr fod y Brodyr Jones yn arbrofi gyda'r fenter hon a dechreuwyd mynd ati i gynhyrchu peiriannau. Yn y flwyddyn gyntaf cynhyrchwyd chwech o fyrnwyr a chynyddodd y galw ac fe aed ati i ehangu y busnes i ateb y galwadau hynny. Problem arall (ar wahân i brinder defnyddiau) oedd sicrhau gweithlu gyda phrofiad peiriannol, ac ni lwyddwyd i ddatrys y broblem honno hyd nes i aelodau'r lluoedd arfog gael eu rhyddhau wedi'r Rhyfel. Bu hynny yn fodd i sicrhau gweithwyr a oedd eisoes wedi derbyn hyfforddiant trylwyr mewn peirianneg a buan iawn y cafwyd yr arbenigedd hwnnw yng ngweithlu'r cwmni. Parhaodd prinder haearn bwrw a dur priodol hyd at 1955, ond erbyn hynny roedd y cwmni eisoes yn prynu y rhan fwyaf o'u darnau oddi wrth gyflenwyr eraill ym Mhrydain a thramor, a gwaith cyfosod y darnau at rai o elfennau gwreiddiol Jones a wnaed. Buan y sylweddolwyd na fedrai'r cwmni ymdopi â'r galw yn y safle gwreiddiol yn Rhosesmor ac yn 1957 estynnwyd y gwaith i ffatri ar safle deuddeg erw o dir ym Mroncoed, yr Wyddgrug. Ers 1946 roedd y Brodyr Jones eisoes wedi arbrofi gyda gwneuthuriad peiriannau eraill megis y peiriant a ddefnyddid o flaen tractor Fordson i godi tail, sef y *New Manure Loader for Fordson Tractor* — neu i roi ei enw penodol gan y cwmni, *Victory Manure Loader.* Erbyn 1948 roedd y cwmni yn gwerthu mathau arbennig o'r byrnwyr, sef y *Tiger* a'r *Cub* — peiriant codi tail a melin falu *Jones Hammermill.* Yn ystod 1948 lansiwyd y *Jones — High Density Pick-up Baler* (sef y *Lion*) ac fe gytunwyd i gynhyrchu'r peiriant mewn cydweithrediad â'r cwmni peiriannau A B Blanch & Co, Malmesbury. Roedd y brodyr Jones eisoes wedi arbrofi gyda'r byrnwr am ddwy flynedd; fe seiliwyd y peiriant newydd hwn ar y fersiwn cyntaf a adeiladwyd yn 1946. Yn ystod Hydref 1948 ymddangosodd y *Jones Elevator Potato Digger*, ac mewn adroddiad a gyhoeddwyd y flwyddyn honno dywedir am gwmni'r Brodyr Jones: ' *Works extensions are continually being made, and we learnt that machine, either baler, manure loader or hammer mill, is now being produced every eight hours.'*

Ym mis Mai 1949 hysbysebwyd y byrnwr *Panther — Self Tying Baler* ac yn ystod y Sioe Frenhinol a gynhaliwyd yn yr Amwythig y flwyddyn honno

Defnydd o fyrnwr Jones Tiger *yn Amgueddfa Werin Cymru.*

arddangoswyd y byrnwyr *Cub, Tiger, Lion* a'r *Panther* newydd. Y flwyddyn ddilynol lansiwyd datblygiad pellach pan gynhyrchwyd y byrnwr *Invicta* ac fe enillodd y cwmni fedal aur am ddyfeisgarwch ac arbenigrwydd peiriannol. Parhawyd i arbrofi ac i addasu elfennau peiriannol y byrnwyr cynharaf ac erbyn haf 1952 profwyd y *Jones Minor, Pick-up Baler* a chafwyd adroddiadau swyddogol ar berfformiad y peiriant o'i gymharu â pheiriannau cyffelyb a wnaed gan gwmnïau Prydeinig eraill. Dair blynedd yn ddiweddarach arbrofwyd ar y peiriant uchod ac fe ddatblygwyd nifer o awgrymiadau ac ychwanegu gwelliannau at y peiriant dechreuol. Erbyn 1955 roedd y *Jones Self Propelled Balers* gan gynnwys y model *Mark II* yn cael sylw cyson yn y cylchgronau peiriannol ac amaethyddol a nodir yn ogystal lwyddiant y gwerthiant ym Mhrydain ac mewn gwledydd tramor. Cyfnod o ddatblygu, addasu a gwella fu'r pumdegau i'r cwmni ac fe gynhyrchwyd peiriannau eraill cysylltiol â'r byrnwyr, sef car cludo byrnau *(bale sledge)* a pheiriant codi byrnau. Gwelwyd dyfodiad y byrnwr *Mark 5* yn 1956, ond y flwyddyn ddilynol ymddangosodd y *Jones Pilot Combine Harvester* a oedd i raddau helaeth yn torri tir newydd o safbwynt dyfeisgarwch a chynnyrch y cwmni. Ddwy flynedd yn ddiweddarach lansiwyd y *Jones Cruiser Combine* a enwyd yn wreiddiol yn *Jones Comet Combine.* Bu'r *810 Cruiser Combine* yn un o'r peiriannau canolog o safbwynt marchnata, er bod pris peiriant newydd ym mis Ionawr 1959 yn £1,500. Yn ystod y flwyddyn honno hefyd fe gyflwynodd y cwmni beiriant sgwaru tail sef y *Jones 140 — Manure Spreader.* Yn 1960 lansiwyd y *Jones Super Star Baler* ac ym mis Hydref y flwyddyn honno cyhoeddwyd bod cwmni *Allis-Chalmers* yn bwriadu ymgymryd â gwaith cynhyrchu'r peiriant ar ran cwmni *Jones Balers.* Gwelwyd eisoes fod cwmni *Jones Balers* wedi arallgyfeirio i wneud y combein rai blynyddoedd ynghynt ac yn 1961 gwnaethpwyd dau fath o beiriant at gyweirio neu chwalu gwair.

Erbyn 1960 roedd y cwmni wedi llwyddo i gynyddu'r farchnad dramor yn aruthrol, ond er bod llwyddiant marchnata'r peiriannau yno yn enfawr cododd nifer o broblemau cyllidol yn sgîl yr ehangu. Rhaid oedd gwario'n drwm i brynu rhannau a defnyddiau ymlaen llaw ac yn aml rhaid oedd aros tua hanner blwyddyn cyn y derbynid tâl am y nwyddau a werthid tramor. O ganlyniad, rhaid oedd i fusnes teuluol y Brodyr Jones wneud penderfyniad naill ai i droi'r cwmni yn fusnes cyhoeddus neu i werthu'r cwmni yn ei grynswth i brynwr allanol. Penderfynwyd gwerthu gan fod cwmni Americanaidd eisoes wedi dangos diddordeb yn y busnes.

Ym mis Hydref 1961 cyhoeddwyd bod cwmni *Allis-Chalmers* wedi prynu cwmni *Jones Balers.* Am rai blynyddoedd cynhyrchwyd peiriannau *Jones* gan gwmni *Allis-Chalmers* ac fe barhawyd i gadw lliwiau a hunaniaeth *Jones* er mwyn sicrhau gwerthiant yn y farchnad amaethyddol. Ymddengys mai'r unig beiriant o etifeddiaeth cwmni *Jones Balers* na pharhawyd i'w gynhyrchu oedd y *Jones Combine.* Roedd cwmni *Allis* eisoes wedi datblygu peiriant cyffelyb cyn pwrcasu *Jones Balers* ac fe ymddengys y credai *Allis* fod y peiriant hwnnw yn amgenach na'r eiddo *Jones.* Teg ydyw nodi i gwmni

Jones Balers Ltd., Esmor Works, Rhosesmor, N.W.

'Phone : HALKYN 363   Telegrams : " JOBALERS," MOLD.

OFFICIAL PRICE LIST

" INVICTA " SELF PROPELLED AUTOMATIC SELF TWINE TYING
HIGH DENSITY PICK UP HAY AND STRAW BALER (V.O. Unit)   £1608 0 0

" LION " MODEL AC/T AUTOMATIC PICK-UP BALER.

Fitted with Diesel Engine Unit. Supplied on Pneumatics, fitted with brakes   £1250 0 0

Fitted with V.O. Engine. Supplied on Pneumatics, fitted with brakes £1147 0 0

" MINOR " MODEL SF/T AUTOMATIC SELF-TYING PICK-UP BALER

Fitted with Diesel Engine Unit £798 10 0

Fitted with Power Take-off Drive only £658 10 0

Fitted with Diesel Engine Unit and Power Take-off Drive £819 0 0

" PANTHER " MODEL SA/T SELF-TYING BALER.

Mounted on Pneumatics and fitted with Brakes £698 15 0

" TIGER " MODEL BALER.

Supplied on Pneumatics, or Steel Wheels, fitted with Brakes, and including Four
Dual Purpose Needles (for Wire and String Tying) £534 10 0

N.B.—In lieu of the Dual Purpose Needles we can fit the New type Collinson's One Man
Operator String Needle at the same price.

" CUB " MODEL BALER.

Supplied on Pneumatics, or Steel Wheels, fitted with Brakes, and including Four
Dual Purpose Needles (for Wire and String Tying) £494 10 0

NEEDLES.   £   s.   d.

Set of 4 Dual Purpose Needles 12 0 0

Collinson's String Needles and Attachments 9 0 0

C.P.Co.—1000 12/54 250—74

Rhestr o brisiau peiriannau Jones Balers.

Jones Balers gadw ei ran o gwmni *Jones Baltic Simplex,* Melbourne Awstralia yn annibynnol o'r cytundeb ag *Allis-Chalmers* ac fe barhawyd i gynhyrchu byrnwr *Jones* yn Awstralia o dan gytundeb trwyddedol. Yn ddiweddarach cymerodd y cwmni *Fiat* gwmni *Allis-Chalmers* yn rhannol yn y wlad hon. Cymerwyd rhan arall o'r cwmni a arbenigai mewn cynhyrchu peiriannau cynaeafu gan gwmni *Bamfords* o Uttoxeter, cwmni sydd bellach wedi diflannu o restr gwneuthurwyr peiriannau ym Mhrydain.

Y mae yna ran o'r Gogledd-ddwyrain nas crybwyllwyd uchod, sef ardaloedd Corwen a Chynwyd. Yn ardal Corwen cafwyd gofaint enwog yn ystod y bedwaredd ganrif ar bymtheg, gwŷr fel Joseph Price, gof a gwneuthurwr hoelion; David Davies Tŷ'n-y-cefn, gof a gwneuthurwr arfau llaw, ac yng Nghynwyd gellir nodi yn arbennig weithgarwch Thos. Williams, gof, a Zechariah Jones, gwneuthurwr erydr. Ganed Zechariah Jones yng Nglanyrafon yn 1840 a phan yn saith ar hugain symudodd i Gynwyd. Daeth i fri ac i enwogrwydd fel crefftwr a arbenigai mewn erydr a bu galw mawr am ei gynnyrch yn ardaloedd De-ddwyreiniol Gogledd Cymru. Bu farw yn y flwyddyn 1922 ac o ganlyniad collwyd arbenigedd crefftwr a wasanaethodd y gymuned a'r gymdeithas amaethyddol yn gyffredinol. Ond ni ellir cau pen y mwdwl ar hanes Cynwyd heb gyfeirio yn benodol at ddatblygiad pwysig a ddigwyddodd ym mhumdegau'r ganrif hon. Cyfeirir yn benodol at sefydlu cwmni Ifor Williams yn 1957. Er nad peiriannau amaethyddol a wneir gan y cwmni y mae'r cynnyrch yn ffurfio rhan annatod o wasanaeth a gynigir i amaethwyr Cymru, Prydain a thramor yn gyffredinol. Y mae *Ifor Williams Trailers Ltd* bellach yn cynnig amrywiol batrymau o ôl-gerbydau at wasanaeth amaethyddol a diwydiannol. Y mae'r cwmni, sydd bellach yn cyflogi dros bedwar cant o bobl, yn fyd enwog.

Gwelir felly, o edrych yn ôl ar dros ganrif a mwy o hanes y diwydiant peiriannau amaethyddol yng Nghymru fod nifer o drefi masnachol y wlad wedi bod yn ganolfannau i gynnal y diwydiant amaethyddol. Gwelwyd dirywiad a diflaniad llawer o'r cwmnïau uchod na fedrodd gystadlu ac addasu i ateb gofynion modern yr oes ym mlynyddoedd cynnar y ganrif hon. Ond mae'r enghraifft uchod o Gynwyd yn amlygu llwyddiant cwmni bychan a dyfodd i gystadlu ac ennill bri a llwyddiant ysgubol yn y byd diwydiannol ac amaethyddol.

Arddangosiad o beiriant Jones Cruiser Combine.
(Llun trwy garedigrwydd Mr & Mrs G R Davies, Helygain, Treffynnon.)

Stondin Jones Balers *mewn sioe amaethyddol.*
(Llun trwy garedigrwydd Mr & Mrs G R Davies.)

Jones Pilot Combine, *gyda Glyn Jones,*
George Williams a Telford Brown.
(Llun trwy garedigrwydd Mr & Mrs G R Davies.)

Yr Efail, Cynwyd ger Corwen.

Llyfryddiaeth

Llyfrau

Benjamin, Alwyn E, *Footprints on the sands of time: Aberystwyth* 1800-1880 (Caerfyrddin, 1986).

Board of Agriculture, *General View of Agriculture of North Wales and of each of the counties in South Wales* (Llundain, 1794-6).

Catalogue of the Art Treasures Exhibition of North Wales and the Border Counties at Wrexham 1876 (Llundain, 1876).

Collins, E J T, *Sickle to Combine* (Reading, 1965).

Davies, Walter (Gwallter Mechain), *A General View of Agriculture and Domestic Economy of North Wales* (Llundain, 1810) ...*South Wales* (1814-15).

Hughes, D G Lloyd, *Hanes Tref Pwllheli* (Llandysul, 1986).

Jenkins, David, *The Agriculrual Community in South-west Wales at the Turn of the Twentieth Century* (Caerdydd, 1971).

Jones, Trefor O, *O Ferwyn i Fynyllod* (Dinbych, 1975).

Journal of the Royal Welsh Agricultural Society.

Lewis, L Haydn, *Penodau yn Hanes Aberaeron a'r Cylch* (Llandysul, 1970).

Patents for Inventions, Abridgements of Specifications.

Payne, F G, *Yr Aradr Gymreig* (Caerdydd, 1954).

Peate, Iorwerth C, *Guide to the Collection Illustrating Welsh Folk Crafts and Industries* (Caerdydd, 1935).

Rees, Derek 'Ring & Rossettes' *(The History of the Pembrokeshire Agricultural Society)*, (Llandysul, 1977).

Royal Agricultural Society of England, *Catalogue of Implements etc* (Cyhoeddiad blynyddol).

Scourfield, Elfyn, *Welsh Farming Scene* (Caerdydd, 1974).

Scourfield, Elfyn, *A Directory of Agricultural Machinery and Implements Makers in Wales*, (Caerdydd, 1979).

Watkinshaw, D, (Gol.) *Pontypool Local Register & Appendix* (Pontypool, 1871).

Williams E A, *Hanes Môn yn y Bedwaredd Ganrif ar Bymtheg* (Amlwch, 1927).

Erthyglau

Chater A O, 'Inscriptions on the Bridges in Ceredigion' *Ceredigion*, Cyfrol VIII (1978), tt. 329-354.

Edmunds, Henry, History of the Brecknockshire Agricultural Society 1755-1955, *Brycheiniog*, Cyfrolau 2,3 (1956-57) tt. 29-66; 67-124.

Hopkins, T J, 'Two Hundred Years of Agriculture in Glamorgan' *Glamorgan Historian*, Cyfrol 8, tt. 70-74.

Jenkins, J Geraint, 'Farm Implements', *Traditional Tools and Equipment, Rhif 5 (1965) tt. 25-36.*

Jenkins, J Geraint, 'Technological Improvement and Social Change in South Cardiganshire' *The Agricultural History Review*, Cyfrol XIII (1965) tt. 94-105.

Jones, R L, 'Changes in the Pattern of Cardiganshire farming' *Journal of the Royal Welsh Agricultural Society*, Cyfrol XXVII (1958) tt. 39-50.

Rees, D Morgan, 'Industrial Archaeology in Cardiganshire' *Ceredigion*, Cyfrol 5 (1964) tt. 109-123.

Scourfield, Elfyn, 'Rhai Agweddau Hanesyddol ar Amaethyddiaeth yng Nghymru', *Y Traethodydd* (Ionawr, 1976) tt. 41-53.

Scourfield, Elfyn, 'Implement Makers and Craftsmen of Cardiff and the Vale of Glamorgan, *Glamorgan Family History Society Journal* (1994), Rhif 33, tt.21-23.

Scourfield, Elfyn, 'Carmarthen Craftsmen and Implements Makers' *The Carmarthen Antiquary,* Cyfrol XXVII (1991) tt.61-70.

Scourfield, Elfyn, 'Peirianwyr Canolbarth Cymru' *Fferm a Thyddyn*, Rhif 8 (1991) tt. 17-20.
Williams-Davies, John 'Peiriant Pugh Gartheiniog' *Medel*, Rhif 1 (1988) tt.11-13.

Recordiau

Recordiad gan Kathy Growcott, Llyfrgell yr Wyddgrug o atgofion Mr Glyn Jones, Sealand, Clwyd.

Ffynonellau Eraill

Cambrian News
Carmarthen Journal
Y Diwygiwr
Farm Implement & Machinery Review
Farm Mechanisation
Yr Haul
Seren Cymru
Seren Gomer
Cyfarwyddiaduron*: Bennett; Cassey; Ewen; Hunt; Kelly; Pigot; Slater; Trade's; Worall.*